심리 갤러리

미술과 마음 이야기

심리 갤러리 : 미술과 마음 이야기

발　행 | 2024.08.16
저　자 | 박상희
펴낸이 | 박상희
편집인 | 홍숙경
펴낸곳 | 도서출판 샤론
출판사등록 | 2018.01.11.(제22018-000004호)
주　소 | 서울특별시 서대문구 성산로 533, B동 4층 404호
전　화 | 02-365-0807
이메일 | sharonebooks@naver.com

ISBN | 979-11-980623-4-5(03180)

www.sharonewha.org

Gallery of Psychology

Stories on Arts and Mind

Park, Sanghee

목차

제3부 현대 회화

제4부 한국 미술

프롤로그

미술을 사랑하는 이들은 미술 작품을 보면 마음에 위로를 받고 힘을 얻는다는 이야기를 하곤 합니다. 내 안의 어떤 부분과 미술 속 어떤 부분이 끈으로 이어진 듯한 느낌을 받는 순간 우리는 미술로부터 공감받는 경험을 합니다.

이러한 공감은 인간에게 두 가지를 선사합니다. 하나는 마음의 위안입니다. 공감은 상처를 어루만져 아픔을 덜어주고, 차갑던 마음에 온기를 퍼지게 합니다. 다른 하나는 자기 이해입니다. 공감받은 자아는 강건해지고, 앞으로 나갈 힘을 얻습니다.

이 책은 국내외적으로 사랑받은 미술 작품들을 심리, 사회, 교육 등의 주제와 연결해 소개한 글들로 구성되어 있습니다. 2015년 2월부터 2017년 8월까지 26회에 걸쳐 월간지 「신동아」에 기고하였던 글을 수정, 보완한 것입니다. 기고를 마치고 상당한 시간이 지났기에 출판까지는 생각하지 못하고 있었다가 올해(2024년) 봄, 벼르고 벼르던 유럽 미술관 투어 여행을 다니며 제 마음이 바뀌었습니다. 미술 작품이 주는 감동을 다시 한번 느끼며, 부족하지만 제 글도 미술이 주는 위안과 즐거움을 느낄 수 있도록 일조할 수 있으면 좋겠다고 생각하게 되었습니다.

심리 갤러리

제가 태어나고, 자란 북한산 바로 아래 수유리 집은 2층으로 된 단독주택이었습니다. 집 구석구석에는 고고학을 전공하신 아버지께서 모아놓은 골동품, 서예 작품, 그림, 탑 등이 있었습니다. 저희 아버지는 당시로는 거의 찾아보기 어려웠던 유럽에서 고고학을 공부하고 오신 분이셨습니다. 그러나 몸이 약하셔서 뜻하신 바, 원하시던 바를 펼치시지 못하시다가 60대 초반에 급작스러운 심장마비로 돌아가셨습니다.

저는 제게 미친 아버지의 영향을 잘 모르고 살았습니다. 그러나 마음이 많이 힘들었던 어떤 날 갑자기 미술이 제게 찾아와 저를 감싸주고, 위로해 주었습니다. 이런 위로와 친숙함이 무의식적으로 고고학자였던 아버지의 표상으로부터 온 것이었다는 것을 두고두고 깨닫게 되었습니다. 제게 그림은 아버지의 향기입니다.

이 책을 제 아버지, 천국에 계신 박종호님께 바칩니다.

2024년 7월

심리 갤러리

제 1 부
르네상스, 매너리즘, 바로크

1. 라파엘로 산치오 : '시스티나 성모' '그리스도의 변모'

시스티나 성모 (The Sistine Madonna, 1513~1514)

서양 미술사를 생각하면 어떤 화가가 가장 먼저 떠오르시나요. 레오나르도 다빈치, 하르먼손 판 레인 렘브란트, 프란시스코 고야 등을 떠올리시는 분이 계실 것이고, 빈센트 반 고흐, 파블로 피카소, 바실리 칸딘스키를 생각하시는 분도 계시겠지요. 한국인들이 가장 좋아하는 미술 사조는 프랑스 인상주의이고, 가장 많이 알고 있는 화가는 이탈리아 르네상스 거장들이라는 기사를 본 적이 있습니다. 중·고등학교 세계사 수업 때 서양 근대 미술이 르네상스에서 시작한다는 사실을 배운 것도 기억납니다. 그래서일까요. 저는 서양 미술사를 생각할 때면 르네상스 화가들이 가장 먼저 떠오릅니다.

르네상스란 '재생' 또는 '부활'을 뜻합니다. 새로운 예술과 학문을 창출하고자 했던 이 운동은 14세기 후반부터 시작하여 15세기에 이탈리아에서 융성했고, 이후 알프스 너머에 있는 북유럽 지역에 전파되며 전 유럽으로 퍼져 나갔습니다. 문화의 침체기로 알려진 중세와는 달리 새로운 활력을 안겨준 르네상스는 근대 유럽 문화의 출발로 자리매김했습니다.

르네상스를 이끌어 온 이탈리아 르네상스의 특징은 크게 세 가지로 설명할 수 있습니다. 고대 그리스와 로마 문화의 부흥, 인간 존중에 대한 신념, 원근법의 적용이 그것입니다. 이탈리아 르네상스의 전성기를 이끈 화가들은 각기 개성 있는 화풍을 선보였는데, 신과 인간, 기독교와 그리스·로마 문화 등을 주제로 삼아 '조화와 균형'이라는 이상적인 미를 표현하려고 했습니다.

알려졌듯이 이탈리아 르네상스를 대표하는 화가 3인방은 다빈치, 미켈란젤로 부오나르티, 라파엘로 산치오(Raffaello Sanzio, 1483-1520)입니다. 다빈치의 '모나리자', 미켈란젤로의 '최후의 심판', 라파엘로의 '아테네 학당'은 대중들에게 가장 널리 알려진 대표작들이지요. 회화뿐만 아니라 자연과학을 포함한 모든 분야에서 뛰어난 재능을 과시했던 다빈치는 말 그대로 팔방미인이었고, 미켈란젤로는 화가인 동시에, '다비드', '피에타'에서 볼 수 있듯 탁월한 조각가이자 건축가였습니다. 마지막 인물 라파엘로 역시 화가이자 건축가였지만 다빈치와 미켈란젤로와 비교할 때 그는 그림에 주력했습니다. 특별하게 우아하고 아름다운 회화를 남긴 화가, 오늘 제 글의 주인공은 바로 라파엘로입니다.

아마도 라파엘로 작품들이 갖는 큰 미덕은 르네상스 미술의 이상을 누구보다 잘 구현했다는 점일 것입니다. 그는 르네상스의 미적 이상과 표현 방식에 가장 충실했고, 동시에 완벽하게 재현한 화가였습니다. 라파엘로가 서양 회화에서 얼마나 영향이 컸던지는 19세기 중반 영국의 빅토리아 시대에 등장했던 '라파엘 전파(Pre-Raphaelites)'를 통해서도 알 수 있습니다. 라파엘 전파는 라파엘로 이전의 화가들이 공유했던 이상, 다시 말해 자연과 진실의 영감을 중시한 화파를 말합니다. 그들은 관찰과 세부 묘사에 충실한 중세 고딕 및 초기 르네상스 미술로 돌아갈 것을 주창했습니다. 윌리엄 홀먼 헌트, 존 에버렛 밀레이, 단테 가브리엘 로세티는 이 화파를 대표한 화가들이었는데, 이들이 라파엘로 이전의 화풍으로 돌아가자고 강조한 것을 보더라도 라파엘로가 얼마나 서양 근대 회화에 지대한 영향을 미쳐왔는가를 알 수 있습니다.

라파엘로는 성모 마리아와 아기 예수를 담은 많은 작품을 남겨 '성모의 화가'라 불리기도 했습니다. 그중에서도 '시스티나 성모'(Madonna Sistina, 1513-14)는 대표적인 그림으로 꼽힙니다. 교황 율리우스 2세의 분묘를 장식하기 위해 그려진 이 작품은 처음에는 이탈리아 피아첸차에 있는 성 식스투스 수도원에 있다가 작센의 아우구스투스 3세에게 기증돼 현재에는 독일 드레스덴미술관에 걸려 있습니다. 크기가 265x196cm에 달하는 대작인 이 작품은 형언하기 어려울 정도로 우아하면서도 아름다운 경건함을 담고 있습니다. 아기 예수를 안고 있는 성모 마리아를 보고 있자면 영혼이 깨끗해지고 평온해지고 단단해지는 느낌이 듭니다. 작품 속 왼쪽에 있는 교황 식스투스 1세는 신앙심 깊은 모습으로 성모 마리아와 아기 예수를 경배하고 있고, 오른쪽에 있는 성녀 바르바라는 아래에 있는 아기 천사 푸토들을 평화롭고 따뜻한 표정으로 내려다보고 있습니다.

이 그림에서 특히 눈에 띄는 이들은 바로 푸토들입니다. 대중들에게 널리 알려지며 사랑받은 이 푸토들은 어느 유명 커피전문점에서도 마스코트로 사용해 인기를 끌고 있지요. 그림 속 푸토들의 표정을 자세히 들여다보고 있자니 표정이 참 재미있습니다. 다소 짜증스럽게 지쳐 보이면서도 어린아이다운 순수함을 드러내 보이는 표정을 보노라면 라파엘로가 미세한 감정의 표현에도 얼마나 능숙한 화가인지를 알 수 있습니다.

이 작품이 지닌 큰 매력은 구도에 있습니다. 성모자와 교황 식스투스 1세, 성녀 바르바라의 안정된 삼각 구도, 그 아래 푸토들을 배치한 적당한 파격은 라파엘로가 그 어떤 화가들보다도 르네상스적인 조화와 균형의 감각을 지니고 있음을 알려줍니다. 저는 라파엘로가 보여주는 우아한 조화와 균형의 감각을 좋아합니다. 이런 차분하고 안정적 구도를 지닌 그의 그림을 보고 있으면 마음이 편안해지고 평안해집니다.

조화와 균형은 당연해 보이지만 사실 결코 이루기 쉬운 가치가 아닙니다. 인간의 삶은 항상 욕망과 절제, 이성과 감성, 비합리성과 합리성 사이의 긴장과 갈등의 연속입니다. 이 긴장과 갈등을 해결하기 어려운 까닭은 우리 삶에는 '정답'이 없기 때문입니다. 이성과 합리성 중심의 삶, 그리고 감성과 비합리성을 존중하는 삶 가운데 무엇이 더 낫다고 단언하기는 어렵습니다. 이성과 합리성만을 중시하면 우리의 삶은 차갑게 얼어버리거나 뜨겁게 말라버릴 수 있고, 감성과 비합리성으로 삶을 채워가면 삶은 예측 못한 사건과 감정을 처리하느라 늘 버겁고 힘들 수 있을 것입니다.

그렇다면 다양성을 받아들여야 하는데 이 다양성 역시 쉽지 않습니다. 현대사회에서 다른 사람들의 다름을 인정하지 못한다면 이 세상은 크고 작은 싸움으로 가득하고, 고집과 아집이 판을 치게 되겠지요. 하지만 우리가 다양성을 받아들이는 순간 어느 정도 대가로 치러야 하는 것은 혼란스러움과 복잡함입니다. 너도 옳고 나도 옳고, 이것도 중요하고 저것도 중요해지니까요. 이런 어렵고 복잡한 인간사회 속에서 자신의 선택과 신념에 대해 균형과 조화의 삶을 꾸려가는 것, 복잡한 현대인들 부과된 어려운 숙제입니다.

그리스도의 변모 (The Transfiguration, 1518~1520)

균형과 조화를 강조했다고 해서 라파엘로가 이런 삶의 혼란스러움과 모순을 인식하지 못하고 있었던 것은 아닙니다. 이는 라파엘로가 남긴 최후의 대작인 '그리스도의 변모'(Transfiguration, 1516-20)를 보면 알 수 있습니다. 라파엘로는 이 작품의 대부분을 그렸지만 안타깝게도 완성하지 못한 채 세상을 떠났습니다. 마무리 작업은 제자인 줄리오 로마노(1499-1546)가 한 것으로 알려져 있습니다.

바티칸미술관에 있는 이 그림은 문제작입니다. 크기가 405×276 ㎝에 달하는 초대형인 이 작품은 두 층위로 나누어져 있습니다. 윗부분은 신약성경 마태복음에 나오는 그리스도의 변모를 담고 있습니다. 얼굴이 해 같이 빛나며 옷이 빛처럼 희어진 그리스도 옆에는 모세, 엘리야가 있고, 바로 밑에는 제자인 베드로, 요한, 야고보가 놀란 표정으로 그리스도를 바라보고 있습니다.

윗부분에 천상의 위엄과 전능을 표현한 것과 대비하여 아랫부분은 세상 사람들의 혼돈스러운 모습을 담고 있습니다. 이들이 그리스도의 변모에 놀란 것인지, 아니면 세상의 다양한 혼란을 드러내고 있는지는 감상자의 생각에 따라 다를 수 있습니다. 후자의 해석을 따른다면 이 작품이 전하는 메시지는 거룩한 천상과 혼란스러운 지상의 대비에 있을 것입니다. 저는 라파엘로가 세상에서 둘로 나뉜 것들이 결국에는 하나로 이어질 것이라는 메시지를 이 대작을 통해 던졌다고 생각하고 있습니다.

어떤 이들은 이 작품에서 라파엘로가 고전적인 르네상스 미술을 해체하고 역동적인 바로크 미술을 예고하고 있다고 파악했지만, 저는 그가 지상과 천상의 세계, 삶의 빛과 그늘, 일상적 삶과 신앙적 삶이라는 서로 다른 것들을 조화와 균형의 관점에서 해석하고 재현한다고 보고 있습니다.

삶이란 이성과 감성이 공존하고, 이기심과 이타심이 충돌하며, 사랑과 미움이 갈등하는 모순적인 것입니다. 하늘에선 거룩한 찬양이 들려오지만, 땅에선 서글픈 절규가 들려오는 이런 이중적이고 모순적인 모습이 우리를 둘러싼 삶이 아닐까요. 우리는 절망에 빠지기도 하지만 희망을 얻으면서 살아갑니다.

사회에서도 조화와 균형은 매우 중요합니다. 서로 다른 이익과 이념을 가진 집단들로 이뤄진 사회는 그 이익과 이념이 충돌함으로써 긴장 및 갈등을 유발합니다. 우리 사회를 보더라도 이념 갈등, 계층 갈등, 지역 갈등 등 다양한 사회 갈등들이 존재합니다. 조화와 균형은 이러한 긴장과 갈등에 맞선 가치입니다. 긴장을 완화하고 갈등을 해소하려면 인간과 인간 간의, 집단과 집단 간의 조화와 균형이 필요합니다.

제가 걱정하는 최근 우리 사회의 현상 중 하나는 너무 극단화한 주장들이 맞서고 있다는 점입니다. 상대방의 존재를 인정한다기보다 부정하고, 상대방의 주장을 경청한다기보다 무시해 버리는 게 우리 사회의 현실입니다. 요즘 저는 정치적 이념의 대립, 사회정책에 대한 갈등, 양성 간의 충돌이 넘치는 뉴스들을 보면서 매일매일 현기증을 느낍니다.

상담사인 제가 개인의 심리적 건강을 평가할 때 가장 중요하게 생각하는 기준은 그 사람의 지닌 심적 안정감입니다. 마음의 안정감을 지닌 이들은 거친 세상 속에서도 자신의 마음의 평화를 유지하는 이들입니다. 사회도 마찬가지겠지요.

500년이 지난 이 그림은 오늘도 제 어깨를 굳게 잡고 부드럽게 속삭이는 듯합니다. 세상이 주는 혼란함에 어지러워하지 말고 앞을 향해 균형을 잡고 조화롭게 걸어가라고, 세상이 주는 긴장에 휩싸이지 말고 땅에 내디딘 두 발에 힘을 주고 걸어가라고 말입니다.

2. 피테르 브뢰헬 : '게으름뱅이의 천국', '농부의 결혼식'

게으름뱅이의 천국 (The Land of Cockaigne, 1567)

'다~ 먹고 살자고 하는 일이지~'.

이 말은 우리가 자주 쓰고 듣는 말입니다. 진담 반, 농담 반으로 하는 말이지만 먹는 것에 대한 인간의 애정의 정도가 잘 드러나는 표현이지요. 인간 삶의 기본을 이루는 것은 '의식주(衣食住)' 가운데 우리 사회에서 오랫동안 '옷'과 '집'으로 대표되는 '의(衣)'와 '주(住)'와 비교해 '음식'으로 대표되는 '식(食)'은 상대적으로 작은 주목을 받아 왔습니다. 아마도 그 까닭은 체면을 중시하는 우리

문화에서 옷과 집이 자신의 사회적 위치를 드러내기 때문에 신경을 많이 쓰는 반면, 음식은 누구에게 보이기 위한 것이 아니므로 적당히 먹어도 되는 것으로 생각해 왔기 때문일 것입니다. 그런데 흥미롭게도 요즘은 상황이 완전히 바뀌었습니다. 먹는 것 열풍입니다. TV 채널을 돌리다 보면 화면마다 음식으로 가득 차 있고, '먹방', '쿡방'과 같은 요리 프로그램은 폭발적인 인기를 끌고 있습니다.

물론 옛날에도 저녁 식사 시간에 요리 프로그램이 방영되긴 했습니다. 하지만 요즘처럼 큰 인기는 아니었습니다. 그런데 왜 이렇게 먹는 것이 갑자기 인기를 끌게 된 것일까요? 이런 자문을 하다 보니 먹는 것과 음식을 다룬 미술 작품은 어떤 게 있는지 찾아보고 싶은 생각이 들었습니다.

음식을 화폭에 담은 작품들 중 제게 가장 인상적인 그림은 피테르 브뢰헬(Pieter Bruegel, 1525년경-1569)의 '게으름뱅이의 천국'입니다. 브뢰헬은 16세기 플랑드르 회화를 대표하는 화가입니다. 농민의 생활을 많이 그린 브뢰헬은 '농민의 브뢰헬'로 널리 알려져 있습니다.

브뢰헬 가족은 모두 화가였습니다. 첫째 아들 피테르 브뢰헬과 둘째 아들 얀 브뢰헬 모두 유명한 화가가 되었는데, 아버지와 아들 이름이 같아서 아버지는 대(大) 피테르 브뢰헬, 첫째 아들은 소(小) 피테르 브뢰헬로 불리게 되었습니다. 오늘 다루는 이는 물론 아버지 피테르 브뢰헬입니다.

주목할 것은 브뢰헬이 활동했던 시기가 16세기라는 점입니다. 브뢰헬은 티치아노, 틴토레토, 엘 그레코와 동시대에 활동한 화가입니다. 이 시기 화가들에게는 신화와 종교가 주요 주제였던 것과 비교할 때, 농민 생활을 다룬 브뢰헬의 화풍은 매우 이채롭습니다. 브뢰헬 역시 종교적 교훈을 담은 작품들도 여러 개 그렸습니다. 하지만 '네덜란드 속담', '농부의 결혼식', '눈 속의 사냥꾼' 등 그가 남긴 주요 작품들을 보면 그는 매우 현실적인 삶에 관심이 많았던 화가임을 알 수 있습니다.

이러한 화풍의 차이는 기본적으로는 이탈리아와 플랑드르라는 지역적 차이에서 비롯된 것으로 보입니다. 교황청이 있는 이탈리아는 기독교로부터 큰 영향을 받은 반면, 플랑드르는 스페인의 지배를 받았지만 16세기 유럽의 산업을 주도했던 지역이었습니다. 브뢰헬이 활동했던 도시는 앤트베르펜과 브뤼셀이었는데, 특히 앤트베르펜은 당시 유럽 경제의 중심지였습니다. 이런 환경에 있던 브뢰헬은 자연스레 신화적 주제보다는 산업이나 일상의 주제에 관심이 가져졌겠지요.

독일 뮌헨 알테피나코테크에 있는 '게으름뱅이의 천국'(The Land of Cockaigne, 1567)은 아주 독특한 작품입니다. 이 그림은 플랑드르 지역에 전승된 이야기와 관련됩니다. 전해 내려온 당시의 어느 시(詩)는 먹을 게 풍성한 땅을 게으름뱅이들의 천국으로 노래했다고 합니다. 그림에서 볼 수 있듯 돼지가 허리에 칼을 차고 다니며, 구워진 거위가 접시 위에 놓여 있습니다. 집 울타리는 소시지로 이뤄져 있고, 지붕에는 빵이 널려 있으며, 뒤편에는 우유가 강처럼 흐르고 있습니다. 한 마디로 먹을 게 지천으로 널려 있는 곳, 그곳이 바로 게으름뱅이들에게는 천국과 같다는 것이겠지요.

작품 한 가운데는 농민, 군인, 학자를 상징하는 세 사람이 작품 제목처럼 게으르게 누워 있습니다. 당시 사회 계층을 대표하는 이들입니다. 이들 모두 먹을 게 이렇게 널려 있으니 굳이 분주하게 움직일 필요가 없습니다. 사회를 구성하는 모든 이가 이렇게 게으르고 나태하게 살 수 있는 곳이 바로 게으름뱅이의 천국이라는 메시지입니다.

그런데 브뢰헬은 왜 이 작품을 그린 것일까요. 여기에는 여러 견해들이 제시됐습니다. 어떤 이는 당시 빈곤한 현실에 대해 먹을 게 풍족하길 바라는 소망을 담았다고 보았고, 어떤 이는 플랑드르가 번영했던 시절이라 풍족한 현실을 반영했다는 반대의 해석을 내놓았습니다. 그리고 또 다른 이는 게으르고 탐식하는 자들에게 경고하는 교훈을 안겨주기 위해 이 그림을 그렸다고 주장했습니다. 세상 그 어디에도 이런 천국이 존재하지 않으니 게으르지 말고 열심히 일하라는 도덕적 교훈이 담겨 있다는 이야기입니다. 어떻게 해석하든 '게으름뱅이의 천국'은 몹시 재미있는 그림입니다. 고상한 주제가 아니라 먹는 음식에 관한 일상적인 주제를 해학적으로 그렸기 때문입니다.

사실 생각해 보면 먹는 것처럼 중요한 일도 없습니다. 그러고 보면 최근 우리 사회의 먹방과 쿡방 열풍도 이상할 것이 없는 현상이라는 생각도 듭니다. 먹는 것은 생명과 직결되어 있기 때문입니다.

그런데 저는 직업병인지 먹방 열풍과 쿡방 열풍에도 심리적인 이유가 있는 것처럼 보입니다. 우선 먹방 열풍의 원인에는 개인적 '스트레스'가 밀접하게 관련되어 있는 듯합니다. 물론 우리 사회가 생활의 여유가 생기면서 맛있고 예쁜 것을 먹는 것을 즐기는 문화가 자리 잡아가고 있다는 점은 자명합니다. 그러나 몇 년 전부터 시작된 먹방의 열풍 현상은 '생활의 수준이 나아져서'라는 이유만으로 설명되기는 부족해 보입니다. 저는 현대 우리 사회의 개인들이 삶의 스트레스와 책임의 무게가 감당하기 어려워 작은 기쁨을 주는 음식에 더 집중하게 되는 것이 아닌가 하고 생각하게 됩니다.

사람들은 정신적으로 자신의 능력 이상의 것을 감당해야 할 때 정신과 대비되는 육체적인 기쁨이나 쾌락을 찾는 경향이 있습니다. 이런 경향이 병리적으로 드러나는 현상은 주로 성(性)과 관련된 질환이지만, 먹는 것과 관련된 질환도 꽤 많습니다. 상담사인 저는 정신적 괴로움을 잘 처리할 방법을 몰라 식이장애를 앓게 되는 많은 사람들을 보았습니다. 그들 중에는 음식을 먹는 순간에는 자신의 고통을 잊을 수 있다고 말하는 내담자도 있었고, 음식을 뱉음으로서 자신의 삶을 컨트롤하고 있다고 말하는 이도 있었으며, 쵸콜렛을 옷장마다 감추어 두며 상실에 대한 불안을 이겨내는 사람도 있었습니다.

사실 오늘날 우리의 시대는 욕망의 시대라고 말해도 과언이 아닌 듯합니다. 서양 역사는 중세를 지배했던 '신의 시대'에서 근대를 지배했던 '이성의 시대'로 변화했고, 그것은 다시 탈현대를 지배하는 '욕망의 시대'로 변화해 왔습니다. 이런 욕망을 굳이 순위 매기라 한다면 1번은 식욕이겠지요. 욕망을 채울 수 있는 제일 쉽고

간편한 행위는 먹는 것이고, 다른 사람이 먹는 모습을 먹는 모습을 보면서도 대리만족을 느끼지요.

먹방이 개인의 욕망이나 스트레스 관리와 관련이 있다면, 쿡방은 사회적 상황 더 관련이 있어 보입니다. 여러 사람들이 최근의 경기 불황과 1인 가구의 증가가 쿡방 열풍을 가져왔다고 지적합니다. 저 역시 그 말에 공감합니다. 우선 아무래도 '집밥'이 외식보다는 저렴합니다. 빠듯한 생활을 하는 대다수의 사람들은 돈을 많이 들이지 않고도 맛있는 것을 먹고 싶습니다. 그러니 싼 재료를 가지고도 맛난 음식을 만들 수 있도록 코치해주는 쿡방에 매료될 수밖에 없습니다. 그리고 혼자 사는 사람들 반복되는 매식에 지치게 됩니다. 홀로 식당에서 외롭게 식사하느니 TV 속의 쉐프와 함께 또한 채팅을 통해 소통할 수 있는 유저들과 함께 요리를 만들어 먹는 방식을 택합니다. 혼자 사는 1인 가구는 현대사회에서 더 이상 특별한 삶의 형태도 아니고 장점도 많지만 혼자 있는 삶은 필연적으로 외로울 수밖에 없습니다.

혼자 사는 이들의 경우 반복되는 매식에 지치게 되는 경우가 많고, 혼자 밥을 먹는 것도 한두 번이지 매일 반복되면 맛이 없고 때로는 그런 상황이 슬퍼지기도 합니다. 음식은 역시 누군가와 함께 먹을 때 맛있지요. 이런 면에서도 쿡방은 인기가 있을 수밖에 없습니다. 요즘 인기 있는 쿡방은 실시간으로 다른 사람들과 소통하면서 이루어집니다. 화면 속 대상들이기는 하더라도 다수의 사람들과 실시간으로 소통하면서 요리를 만들어 먹는 것은 혼자 사는 이들에게는 외롭지 않을 수 있는 쉽고 매력적인 선택이 됩니다.

농부의 결혼식 (Peasant Wedding, 1568)

브뢰헬의 또 다른 작품 '농부의 결혼식'(Peasant Wedding, 1568) 역시 먹는 것을 보여주고 있는 그림입니다. 잔칫상에는 죽과 맥주가 놓여 있고, 결혼식에 참여한 축하객들이 먹고 마시며 흥겨운 시간을 보내고 있습니다. 작품 한가운데 오른쪽에는 신부가 다소곳이 앉아 있는 모습이 보이기도 합니다. 우리나라 전통 사회에서 흔히 볼 수 있는 결혼식 풍경과 아주 유사합니다. 브뢰헬은 농부로 가장하고 시골에 가서 결혼 잔치를 구경하는 것을 좋아했다고 하는데, 이 작품에는 이러한 그의 체험이 담겨 있는 것으로 보입니다.

오스트리아 빈 미술사 박물관에 있는 '농부의 결혼식'에 대한 해석에 있어서도 '게으른 자들의 천국'에서처럼 견해가 엇갈립니다. 한편에선 브뢰헬이 이 그림을 그린 이유가 당시 농민들의 어리석음을 풍자하고 꾸짖는 데 있다고 보았습니다. 특히 이 작품은 대식(大食)을 비판하는 작품이라고 해석됐습니다. 하지만 다른 한편에선 이러한 견해가 지나치게 도덕주의적 시각에 머물러 있다고 주장했습니다. 그림을 보면 알 수 있듯, 죽과 맥주가 피로연의 주 메뉴인 소박한 피로연의 모습은 오히려 농민 생활에 대한 브뢰헬의 따뜻한 시선과 공감, 그리고 유머를 드러내 준다는 것입니다.

제가 보기에 아마도 진실은 이러한 두 해석 중간 어딘가에 놓여 있는 것 같습니다. 농민들의 삶이 갖는 소박함과 소란스러움, 그런 공동체적 정서에 대해 공감하면서도, 동시에 그것이 지나치게 소비적이고 향락적인 방향으로 흐르는 것에 대해 도덕적인 경고를 하려 했던 게 브뢰헬의 마음이지 않았을까요.

브뢰헬의 작품을 볼 때마다 회화의 의미에 대해 그가 품었던 생각을 떠올려 보곤 합니다. 앞서 이야기했듯, 브뢰헬은 이 기획에서 다룬 적이 있는 엘 그레코와 동시대인입니다. 저는 두 화가를 모두 좋아합니다. 브뢰헬이 16세기 전반을 대표하는 화가였다면, 엘 그레코는 16세기 후반을 대표하는 화가입니다. 엘 그레코는 종교적 열정으로 가득했던 화가로서, 그는 은혜와 감동이 넘치는 종교화를 우리에게 선물했습니다. 반면 브뢰헬은 비록 기독교의 도덕적 교훈을 중시했더라도 신화보다는 농민을 포함한 당시 사람들의 일상에 더 큰 관심을 가졌습니다.

브뢰헬에겐 매일매일의 일상이 종교 생활 못지않게 중요했던 것으로 보입니다. 바로 이 점에서 브뢰헬은 제게 감동을 안겨줍니다. 늘 비슷하고 지루한 일상을 소중히 생각하고 묵묵히 최선을 다하는 평범한 사람들의 모습에서 저는 종교적인 감동과 유사한 경외심을 갖게 되기 때문입니다. 브뢰헬이 그린 거칠고 소박한 농민들의 얼굴과 손에서 엘 그레코가 그렸던 성스러운 성자의 얼굴과 손의 모습이 교차 되는 것을 느꼈다면 제가 너무 과장하는 것일까요.

3. 엘 그레코 : '오르가스 백작의 매장', '부활'

오르가스 백작의 매장 (The Burial of the Count of Orgaz, 1586~1588)

마음이란 무엇일까요. 한자로는 심(心)이고, 영어로는 하트(heart)입니다. 마음과 비슷한 말로는 의식(consciousness) 또는 정신(spirit)이 있습니다. 인간의 정신적 활동이라는 점에서 이 세 개념은 유사합니다. 하지만 엄밀하게 보면 각각의 의미가 다소 다릅니다. 의식이라는 용어는 심리학에서, 정신이라는 말은 철학에서 주로 사용하는 개념입니다. 의식이 인간에게 특유한 심리적 활동의 총체를 뜻한다면, 정신은 과학·예술과 같은 심적 능력의 고차원적인 것을 지칭할 때 주로 쓰입니다.

이에 비해 마음은 다소 모호한 개념입니다. 일반적으로 마음은 인간 정신 활동의 모든 것이라고 정의됩니다. 하지만 마음은 의식보다 넓은 외연을 갖고 있고 정신보다 개인적인 주관성을 강조합니다. 분명한 것은 두 가지입니다. 하나가 마음이 육체와 대립되는 인간의 주요한 속성이라는 점이라면, 다른 하나는 이 마음을 통해 타자들과 구별되는 자신의 정체성(identity)에 대한 생각을 갖게 된다는 점입니다.

이런 마음의 문제에 대해 가장 오랫동안 숙고해 온 분야는 종교입니다. 종교가 기본 가정으로 삼는 것은 인간의 불완전성입니다. 인간이란 완전한 존재가 아니라 불완전한 존재이고, 삶은 영원한 게 아니라 일시적인 것이라는 가정을 대부분의 종교는 공유합니다. 이러한 삶의 불완전성은 우리 인간에게 불안을 안겨주는데, 종교는 이 삶의 불안을 해소하고 평화를 주는 기능을 합니다. 예를 들어, 기독교는 하나님이라는 절대자에 대한 믿음을 통해, 불교는 자기 수양과 도(道)를 깨우치는 것을 통해 삶의 평화와 안식을 선물해

줍니다.

종교는 미술에 큰 영향을 미쳐 왔습니다. 특히 서양에서 기독교가 미술에 미친 영향은 지대했습니다. 기독교가 절대적이었던 중세 미술은 곧 기독교 미술이었고, 르네상스로 시작된 근대 미술에서도 기독교는 중심을 이뤄 왔습니다.

여기에는 기독교가 서양을 대표하는 종교로서 갖는 정치·사회·문화적 영향이 컸다는 게 일차적인 배경을 이루었습니다. 동시에 인상주의 이전의 미술 생산방식도 눈여겨봐야 합니다. 근대 초기 미술가에게 중요한 이들 중 한 사람은 작품 제작을 주문하는 후원자였는데, 가장 중요한 후원자 그룹은 교황을 위시한 성직자들이었습니다. 성직자들이 미술가들에게 요청한 작품은 당연히 대부분 기독교와 관련된 것들이었겠지요.

오늘 제가 소개해 드리고 싶은 미술 작품도 기독교와 연관된 것입니다. 16세기를 대표하는 화가 중 한 사람인 엘 그레코 (1541-1614)의 그림을 이야기하고 싶습니다. 엘 그레코는 그리스 크레타섬에서 태어나 스페인에서 활동한 화가입니다. 벨라스케스, 고야와 함께 스페인 근대 회화를 대표하는 화가로 손꼽힙니다. 그는 그가 살았던 16세기에도 널리 알려졌지만, 20세기에 들어와 새롭게 재평가되면서 명성을 더욱 높인 화가입니다. 그의 본명은 도메니코스 테오토코풀로스(Domenikos Theotokopoulos)이지만 스페인에 와서 '그리스인'이라는 엘 그레코(El Greco)라고 불렸습니다.

엘 그레코의 대표작으로 꼽히는 작품은 <오르가스 백작의 매장

(The Burial of the Count of Orgaz, 1586-88)>입니다. 그는 그림의 화면을 지상계와 천상계의 둘로 나누었습니다. 아래 지상계에는 지금 장례식이 막 진행되고 있습니다. 장례식의 주인공은 14세기에 살았던, 선행을 많이 베푼 것으로 알려진 오르가스의 백작인 루이스 곤잘레스입니다. 이 그림이 그려진 톨레도의 산토 토매 성당 아래에는 백작의 실제 무덤이 있다고 합니다. 엘 그레코는 백작을 매장할 때 성 스테파누스와 성 아우구스티누스가 나타나 시신을 옮겼다는 전설을 지상계의 그림 중앙에 표현해 놓았습니다.

천상계는 백작의 영혼이 승천할 때의 광경입니다. 천국의 한가운데는 그리스도가 빛에 둘러싸여 앉아 있고, 그 아래는 성모 마리아와 세례 요한이 지키고 있습니다. 왼쪽에는 천국의 열쇠를 들고 있는 베드로가 눈에 들어옵니다. 아래 지상계가 무겁고 엄숙한 분위기를 띠고 있다면, 위 천상계는 화려한 색채와 함께 밝고 경건한 모습으로 그려져 있습니다.

엘 그레코가 이 작품을 통해 전하려는 메시지는 사후 영혼의 구원에 관한 것입니다. 지상계가 인간이라면 누구나 피할 수 없는 죽음의 운명을 보여주는 반면, 천상계는 그리스도에 의한 영혼의 구원을 상징합니다. 엘 그레코는 지적이고 신앙심이 깊은 화가였다고 합니다. 비록 주문을 받아 제작한 작품이지만, 그는 지상계와 천상계로 상징되는 현재의 불안과 미래의 안식을 화폭에 담아 신앙의 의미와 중요성을 계몽하고 있습니다.

<오르가스 백작의 매장>에서 흥미로운 것은 엘 그레코가 지상계의 장례식에 참여한 톨레도의 유력 인사들 가운데 자신의 모습을

그려 넣었다는 점입니다. 중앙에서 왼쪽으로 가는 도중 정면을 똑바로 응시한 사람이 엘 그레코입니다. 그리고 왼쪽 아래에 있는 소년은 그의 아들로 알려지고 있습니다. 화가들이 이렇게 자연스럽게 자신의 모습을 화폭에 담는 것은 서양 미술의 오랜 전통입니다. 이 작품을 볼 때마다 저는 정면을 응시하는 엘 그레코가 감상자들에게 전하려는 말의 의미를, 다시 말해 '믿음이 우리를 구원한다'는 메시지를 생각해 보곤 합니다.

또 한 가지 흥미로운 사실은 이 그림이 매너리즘(mannerism) 화풍의 그림이라는 것입니다. 엘 그레코는 매너리즘을 대표하는 화가의 한 사람으로 꼽힙니다. 매너리즘은 르네상스와 바로크 사이에 놓인 예술 양식으로서 레오나르도 다 빈치, 미켈란젤로, 라파엘로가 성취한 조화와 균형이라는 르네상스의 이상을 넘어서 더 이상 앞으로 나갈 수 없었을 때 화가들이 모색한 새로운 표현 방법이었습니다. 매너리즘 화가들은 불안정한 구도, 공간의 왜곡, 길게 늘어진 인물, 현실과 비현실의 공존 등을 통해 자아의 불안과 의식의 위기를 캔버스에 담았습니다. 엘 그레코는 폰토르모, 브론치노, 파르미자니노, 틴토레토와 함께 이 매너리즘을 대표합니다.

당시 이탈리아는 신성로마제국 카를 5세의 로마 약탈(1527)로 인해 사회의 불안이 최고조에 달해 있었습니다. 매너리즘 화가들은 이런 불안한 현실에 대응하여 르네상스의 원리를 부정하고, 외부 대상의 재현이 아닌 내면 의식의 형상화를 추구하였습니다. 과거에는 '매너리즘에 빠졌다'는 표현에서 볼 수 있듯 모방 또는 아류의 부정적인 의미로 쓰였지만, 20세기 이후부터는 개성이 뚜렷한 독자적인 미술 양식으로 재평가되고 있습니다.

현실에 대한 마음의 대응에서 매너리즘은 이채로운 양식입니다. 화가를 포함한 예술가에게 가장 중요한 것은 자기 시대, 자기 삶에 대한 해석과 재현일 것입니다. 시대와 자아는 분리될 수 없으니까요. 시대가 불안하면 자아는 그 시대의 불안을 무의식적으로 반영하는 동시에 창조적으로 해석하지요. 바로 이 점에 엘 그레코의 작품이 주는 예술적 감동과 공감이 있습니다.

또 하나의 엘 그레코의 작품을 소개하려 합니다. 바로 스페인 마드리드 프라도 박물관에 있는 <부활(The Resurrection, 1590년대 후반)>입니다. 이 그림이 기독교에서 갖는 의미는 각별합니다. 부활이란 새로운 생명의 획득을 의미하는 기독교 신앙의 핵심 교리입니다. 이 그림은 불완전한 존재인 인간이 그리스도의 죽음과 부활에 대한 믿음을 갖는다면 영원히 죽지 않는 천국에서의 생명을 얻을 수 있음을 알리고 있습니다.

이 그림에서도 엘 그레코의 특유의 화풍이 잘 드러나 있습니다. <오르가스 백작의 매장>에서처럼 그는 화면을 위와 아래로 분할했습니다. 위는 부활한 그리스도의 빛나는 모습을 담고 있고, 아래는 혼돈스러운 현실의 풍경을 묘사합니다. 길게 늘어진 신체, 군상의 역동적인 몸짓, 강렬한 색채, 그리고 환상적인 장면은 매너리즘의 방식으로 인간의 불안한 심리를 잘 드러내 주고 있습니다.

현대는 불안의 시대입니다. 심리적으로 불안이란 위험에 직면해서 무력감과 두려움을 느끼는 것을 말합니다. 지그문트 프로이트는 이 불안을 현실적인 불안(realistic anxiety)과 신경증적인 불안

부활 (Ten Resurrection, 1590년대 후반)

심리 갤러리

(neurotic anxiety)으로 나누어 설명했습니다. 전자가 외부의 실제적 위험에서부터 생겨나는 것이라면, 후자는 대상 상실 등의 경험을 통해 인간의 내면 안에서 발생하는 것입니다.

외부의 위험으로부터 느끼는 불안이든 내면의 상처로부터 경험하는 불안이든 개인의 불안 경험 강도가 너무 커지면 극단적인 정신적 혼란이 나타나는데, 이런 혼란은 공황(panic) 상태라고 불립니다. 공황 상태가 될 때 인간은 극심한 무기력과 두려움에 빠지게 되지만, 동시에 자기 자신에게 몰두함으로써 불안 극복을 모색하게 됩니다. 상담사인 제가 보기에 엘 그레코는 앞서 다룬 그림과 마찬가지로 '부활'에서도 역시 기독교 신앙만이 이러한 공황적 불안으로부터 인간을 구원해 주리라는 메시지를 전달합니다.

삶이란 과연 어떤 것일까요. 구약성서 전도서 작가의 한탄처럼 이 세상 모든 것은 '헛되고 헛되며 헛되고 헛되니 모든 것이 헛된 것'일까요? 결국 두려운 죽음으로 가는 고난의 과정일까요?

안타깝게도 지상에서 벌어지는 풍경들을 바라보면 희망보다는 절망이 앞섭니다. 엘 그레코가 살았던 16세기에도 돈과 힘과 이익을 얻기 위한 인간의 투쟁과 경쟁은 현재와 마찬가지였나 봅니다. 그림 속에서 보이는 일그러진 얼굴, 과장된 몸짓, 무수한 비명은 바로 시대를 초월해 존재하는 풍경으로 보입니다. 그림 속에서 보이는 이 이상한 불안함은 우리가 살아가는 현재의 세상에서의 불안과 꽤 비슷해 보입니다.

엘 그레코는 이러한 현실에 맞설 수 있는 치유의 힘으로 절대자인 하나님에 대한 믿음을 작품들에 담았습니다. 그는 외면적 대상을 객관적으로 재현하는 것보다 내면의 믿음을 주관적으로 표현함으로써 부조리한 현실에서 오는 불안과 고통을 이겨내려 한 것은 아니었을까요. 삶의 유한성을 넘어서는 영원한 세계에 대한 동경은 우리들의 삶이 지닌 불안을 덜어주는 듯합니다.

마침 글을 쓰는 이번 주는 부활절이 있는 주입니다. 삶의 유한성을 넘어서는 영원한 세계에 대한 동경은 모든 사람이 갖는 소망일 것입니다. 이런 영원성을 바라는 유한한 인간 존재에게 부활이라는 말은 얼마나 희망적인 단어인지요. 해마다 부활절 즈음이 되면 저는 저도 모르게 엘 그레코가 떠오릅니다.

4. 미켈란젤로 메리시 다 카라바조 : '성 베드로의 십자가형', '엠마오의 저녁식사'

성 베드로의 십자가형 (The Crucifixion of St.Peter, 1601)

인간이란 선한 존재일까요, 악한 존재일까요. 참 본질적인 질문이지요. 하지만 세상을 살아가다 보면 때때로 인간의 본성이 어떤 것인지를 묻지 않을 수 없는 때가 있습니다.

인간의 본성에 대해선 동양과 서양에서 모두 오랫동안 토론되어 왔습니다. 동양의 경우 맹자는 성선설(性善說)을 내놓았고, 순자는 성악설(性惡說)을 주장했습니다. 서양의 경우 장 자크 루소가 성선설에 가까운 이론을 제시했다면, 토마스 홉스는 성악설에 가까운 이론을 제기했습니다. 한편 존 로크는 인간은 태어날 때 아무것도 갖지 않는다는 백지설(白紙說)을 주장하기도 했습니다.

글을 시작하자마자 인간의 본성에 대한 이야기를 꺼낸 까닭은 오늘 제가 소개할 화가가 바로 이 인간의 본성에 대해 질문을 던지게 하는 문제적 인물이기 때문입니다. 미켈란젤로 메리시 다 카라바조(Michelangelo Merisi da Caravaggio, 1571-1610)가 본명인 카라바조가 그 주인공입니다. 그가 남긴 작품들은 극적으로 강렬하지만, 그의 삶은 더 극적인 것이었습니다. 이탈리아 밀라노에서 태어난 그는 젊은 나이에 큰 명성을 얻었지만, 평생 폭행을 일삼았고 살인까지 저질렀습니다.

르네상스와 매너리즘을 뒤이은 초기 바로크 회화를 대표하는 화가였으며, 빛의 마술사라고 불렸던 카라바조의 그림을 보고 있노라면 밝음과 어두움의 대비를 효과적으로 활용하여 작품의 긴장도를 극적으로 높인 그만의 독특한 화법에 감탄하게 됩니다. 많은 사람들이 빛의 화가라면 먼저 네덜란드의 하르먼손 판 레인 렘브란트를 떠올리지만, 사실 렘브란트는 카라바조로부터 큰 영향을 받았다고 합니다. 사실 렘브란트뿐만 아니라 벨라스케스, 루벤스, 라 투르 역시 카라바조의 작품들로부터 작지 않은 영감을 얻었습니다.

카라바조는 많은 걸작을 남겼습니다. 그가 그린 종교화들은 결정적 순간을 포착한 역동적 구성으로 유명합니다. 이탈리아의 로마 산타 마리아 델 포폴로 성당의 체라시 예배당에 있는 '성 베드로의 십자가형(The Crucifixion of St. Peter, 1601)'은 그 가운데 하나입니다.

널리 알려졌듯이 초대 교황은 예수 그리스도의 첫 번째 제자인 성 베드로입니다. 베드로는 가장 우직하고 열정적으로 그리스도를 따른 제자였으나 그리스도께서 잡히시던 날 세 번이나 그를 부정한 제자이기도 했지요. "주여, 어디로 가시나이까?(Quo Vadis Domine?)" "네가 나의 형제들을 버리기에 다시 한번 십자가에 못박히러 로마로 간다." 이 대화는 로마 감옥에서 탈옥한 베드로가 그리스도를 만났을 때 주고받은 유명한 이야기로 알려져 있습니다.

그러나 그리스도의 부활 이후 로마로 건너간 베드로의 최후는 그 누구도 흉내 내지 못할 엄숙한 결정을 했습니다. 바로 오늘 소개할 그림의 소재가 되는 놀라운 사건이지요. 바로 베드로가 그리스도와 같은 형벌을 받을 자격이 없다면서 머리가 아래로 향하는 십자가형을 요구하여 순교 당하기를 택했던 것입니다.

카라바조는 이런 베드로의 순교 장면을 특유의 역동적 구성과 명암 대비 효과를 바탕으로 화폭에 담았습니다. 카라바조가 작품에 담은, 십자가에 거꾸로 매달리는 베드로의 고뇌에 가득 찬 눈빛과 표정을 보며 저는 마음이 무겁고 괴로웠습니다. 그림 속 베드로는 지금 죽음을 두려워하는 것일까요. 아니면 세 번이나 그리스도를 부정한 자신을 마지막으로 참회하는 것일까요. 그가 그린 베드로와 형을 집행하는 사람들의 모습은 너무나 생생해서 이 그림을 보고 있는 사람도 베드로와 함께 십자가형의 고통을 감당해야 할 것 같은 두려움을 느끼게 합니다.

카라바조가 처음부터 종교화에 몰두한 것은 아니었습니다. 초기에 그는 '병든 바쿠스'를 위시해 뛰어난 인물화와 풍속화를 남겼습니다. 능숙한 필치로 인물들의 생생한 표정을 담은 카라바조의 솜씨는 많은 이들의 관심을 불러 모았고, 그의 이런 재능은 당시 권력과 재력을 갖춘 종교인들로 하여금 자신의 후견인이 되도록 했고, 자연스레 종교화를 그리기 시작하였던 것입니다. 그는 종교화를 그린 이후 이탈리아와 전 유명해졌습니다.

종교화를 설명할 때 가장 먼저 떠오르는 인물은 앞서 소개한 라파엘로 산치오입니다. 라파엘로의 그림에서 느낄 수 있는 감동처럼 종교화가 갖춰야 할 미덕은 일반 시민들이 작품을 보고 성스러움을 느끼게 하는 데 있다고 할 수 있습니다. 신앙심을 더욱 굳게 할 수 있는 종교적 공감은 성화가 갖춰야 할 가장 중요한 요소이겠지요. 라파엘로나 카라바조가 살았을 당시 성당에 걸린 그림들은 오늘날의 텔레비전과 영화의 기능을 대신했다고 해도 과언이 아닙니다. 그림에 담긴 이미지는 관람하는 이에게 선명하고 강렬한 인상을 남겼고, 그 인상은 종교적 경건함과 신앙심을 강화했습니다. 인간의 모습을 하고 있되, 인간을 넘어선 신의 모습을 담을 성화를 보면서 당시 많은 이들이 자신의 믿음을 더욱 굳게 하였습니다.

심리 갤러리

카라바조의 작품은 라파엘로의 작품과 여러 가지로 대비됩니다. 라파엘로의 그림이 기독교가 갖는 자애로움과 경건함, 그리고 이를 아우르는 숭고함을 느끼게 한다면, 카라바조의 그림은 우리 인간이 일상적으로 느끼는 놀라움, 두려움, 고통스러움을 있는 그대로 담고 있습니다. 그래서 어떤 이들은 카라바조가 그리스도와 성모 마리아를 지나치게 세속화시켰다고 비판하였고, 다른 이들은 카라바조가 도리어 자연주의적 화풍을 도입함으로써 기독교에 대한 친밀감을 높였다고 긍정적으로 평가하였습니다.

엠마오의 저녁식사 (The Supper at Emmaus, 1601)

카라바조의 작품에 등장하는 이들은 종교화에서 기대하게 되는 거룩함을 지닌 성인이 아닌 땅에서 살고 있는 리얼한 인간으로 보입니다. '성 베드로의 십자가형'을 그린 해에 그린 또 하나의 작품 '엠마오의 저녁 식사(The Supper at Emmaus, 1601)'는 이러한 특징을 잘 담고 있는 작품입니다.

루가복음에 나오는 이 이야기는 서양 회화에서 비교적 자주 다루어진 주제입니다. 그리스도가 십자가 매달려 죽임을 당하고 곧바로 부활한 후, 두 제자는 엠마오의 한 여인숙에서 저녁 식사를 하는 도중, 동행해 온 이가 바로 그리스도임을 알게 됩니다. 그때의 놀람을 회화로 표현한 작품이 바로 엠마오의 저녁식사이지요. 여러 화가가 같은 주제로 그림을 그렸는데 영국 런던의 내셔널갤러리에 있는 카라바조의 '엠마오의 저녁 식사'와 프랑스 파리의 루브르박물관에 있는 렘브란트의 '엠마오의 저녁 식사'가 특히 유명합니다.

그런데 이 두 작품의 분위기는 너무나 다릅니다. 렘브란트의 작품이 종교적 경건함으로 가득 차 있다면, 카라바조의 작품은 마치 현대 영화의 한 장면처럼 이 이야기를 극적으로 묘사합니다. 한 제자는 깜짝 놀라 손을 벌리고 있고, 다른 제자는 의자에서 몸을 막 일으켜 세우려고 합니다. 이들의 차림새는 보잘것없고, 표정과 행동은 놀라움으로 가득합니다. 더욱 당혹스러운 것은 그리스도의 모습입니다. 제자들 가운데 앉아 있는 그리스도는 성스럽다기보다는 볼살이 통통히 오른 평범한 젊은이의 모습입니다. 그리스도 옆에는 궁금한 표정을 짓는 여인숙 주인까지 이 네 명의 사람은 우리 근처에서 언제나 마주치는 세상사에 물든 인물들처럼 보입니다. 이렇듯 카라바조의 작품은 강렬한 명암과 극적인 구성을 통해 우리 시선을 고정시키지만, 이 시선 안에 들어오는 인물들의 얼굴은, 그리스도든 베드로든, 평범한 이들의 모습과 큰 차이가 없습니다. 카라바조는 앞서 이 엠마오의 저녁식사를 그린 5년 후 다시 동일한 주제를 다룬 작품을 남겼습니다. 이 작품에 나오는 그리스도의 모습에는 성스러움이 다소 깃들어 있긴 하지만, 그렇다고 해서 전체 구성이 일상을 풍경으로 담으려는 기존 작품과 큰 차이를 보이지는 않았습니다.

카라바조의 작품들을 보면 저는 한 사람의 존재로서의 그에 대해 생각해 보곤 합니다. 그는 왜 보는 이들에게 떨림을 주는 종교화를 그리면서도 자신의 삶은 그렇게 거칠고 폭력적으로 살았을까요. 서른아홉의 생애 동안 카라바조는 싸움과 폭행 등 무수한 폭력을 행사했고, 그로 인해 일곱 차례 감옥에 갇히기도 했다고 전해집니다. 생애의 마지막 시기에는 살인을 한 후 도망 다녔고, 그 와중에 세상을 뜨고 말았습니다.

카라바조에 대한 제 해석은 양가적입니다. 먼저 화가로서의 카라바조의 실력에는 이의를 제기할 수 없습니다. 그의 그림은 참으로 역동적이고 매혹적이고, 그의 천재성은 서양 회화에서 가히 최고의 수준에 도달했다고 생각합니다. 그러나 한 인간으로서의 카라바조는 딱하기 그지없습니다. 역사를 뒤흔들만한 재능을 부여받았음에도 불구하고 자신의 욕망을 조절할 수 있는 능력은 부재했던 불쌍한 사람이 바로 그였습니다. 남긴 행적으로 보면 그는 분노 조절 장애를 겪은 사람이었고, 도저히 용납해선 안 될 살인이라는 행위까지도 서슴지 않은 반윤리적 사람이었습니다.

카라바조의 삶을 생각할 때 제게 떠오르는 심리학 용어는 '그림자(shadow)'입니다. 그림자라는 이 용어는 정신분석학자인 칼 구스타브 융이 주장한 것입니다. 무의식의 열등한 인격이며 자아의 어두운 면을 뜻하는 이 그림자의 성격은 폭력적이고 비이성적입니다. 그림자는 위험한 것이지만, 그림자의 실체를 직시하고 심연으로부터 나오는 자신의 목소리를 들음으로써 자아와 통합하면 이 그림자는 긍정적인 에너지, 다시 말해 삶의 새로운 가치로 승화될 수 있습니다. 그러나 신이 준 재능을 가졌던 남자, 카라바조는 결국 그림자에게 굴복하고 말았던 것으로 보입니다.

인간적인 면모로는 혐오감조차 느끼게 하는 약한 인간이지만 그가 남긴 작품들은 잊히지 않을 큰 감동을 안겨준다는 점에서 그는 참으로 모순직인 화가였습니다. 회화의 역사에서 화가의 인성이나 삶과 화가가 남긴 작품이 늘 일치하는 것은 아닙니다. 작품은 그 자체로 감상되고 평가되는 것이 맞겠지요. 그러나 이 남자 카라바조는 삶과 예술 간의 거리가 너무나 멀어 제게는 선뜻 호감을 품기 어려운 수수께끼 같은 어려운 화가로 남아 있습니다. 예술이 먼저일까요, 아니면 사람이 먼저일까요. 저는 후자를 지향하지만 정답은 없겠지요.

5. 하르먼손 판 레인 렘브란트 : '웃고 있는 렘브란트',
'야간 순찰'

자화상 (Self-portrait, 1665)

상담사로서 제가 특별한 관심을 가진 단어는 '나르시시즘 (narcissism)'입니다. 우물 속에 비친 자기 자신을 사랑해서 죽고 말았다는 나르키소스의 신화에서 비롯된 나르시시즘은 자기 자신을 사랑하는 현상을 뜻합니다. '자기애'라고도 하며 인간 심리의 가장 중요한 이슈 중 하나입니다. ,

심리학적으로 나르시시즘은 긍정적으로도, 부정적으로도 사용됩니다. 건강한 나르시시즘이 자기 삶을 중요시하고 자신의 행복을 위해 에너지를 몰입시키되 타인의 삶도 존중하는 방식으로 나타난다면, 건강하지 못한 나르시시즘은 자신의 욕망을 이루기 위해 타인을 착취하거나 무시하는 태도로 드러납니다. 긍정적인 나르시시즘은 자신의 삶을 발전시키고 주변 사람들에게도 활력을 주지만, 부정적인 나르시시즘은 자기도 황폐화할 뿐 아니라 옆에 있는 이들도 지치게 합니다.

자기애적 욕구가 그림으로 표현된 형태는 바로 자화상이 아닐까 합니다. 현대인이 SNS 등을 통해 자신의 모습을 타인에게 보여주려는 방식으로 나르시시즘을 표출한다면 예전 사람들은 그림에 자신의 모습을 남김으로써 자기애를 충족시킨 것이지요.

수많은 화가가 자화상을 그렸지만, 그중에서도 대표적인 화가들을 꼽는다면 알브레히트 뒤러, 빈센트 반 고흐, 하르먼손 판 레인 렘브란트(Harmenszoon van Rijn Rembrandt·1606~1669)를 들 수 있습니다. 자화상이라는 장르를 서양 미술사에 정착시키는 계기를 마련한 화가는 뒤러입니다. 뒤러가 활동한 르네상스 시대에 화가는 그저 사실적으로 그림을 그리는 기능인이라는 인식이 강했지만, 그는 자의식이 풍부한 자화상을 그려 많은 이에게 자화상이라는 그림이 얼마나 독창적이고 감동을 줄 수 있는지를 보여줬습니다. 그는 예수의 얼굴을 연상시키는 자화상을 그린 것으로도 유명하지요.

고흐는 강렬한 자화상들을 그렸습니다. 자신이 자른 귀에 붕대를 두르고 파이프를 물고 있는 '파이프를 물고 귀에 붕대를 한 자화상'은 매우 인상적입니다. 그림 속의 그는 스스로 억제할 수 없는 광기로 귀를 잘랐지만, 눈빛은 평정심을 잃지 않고 있습니다. 그의 놀라운 자화상들에서는 '정신적으로 극단의 고통 속에 있으면서도 그림을 그린다'는, 삶의 의미를 놓지 않는 천재 화가의 열망을 읽을 수 있습니다.

고흐의 자화상들과 비교할 때 렘브란트 자화상들은 상대적으로 부드럽습니다. 렘브란트가 남긴 자화상이 100점에 달한다고 하니 회화 역사에서 그만큼 자화상을 많이 그린 화가를 찾기 어렵습니다. 질적으로도 탁월해서 그는 '자화상의 영혼'이라고도 불렸습니다.

렘브란트는 거의 매년 자화상을 그렸습니다. 부와 명예를 다 가진 젊은 시절부터 가난과 질병으로 고통받던 노년기까지 자신의 모습을 솔직하고 꾸준하게 화폭에 남겼습니다. 근사하고 화려한 자화상은 젊은 시절의 모습을 그린 작품이지만, 제가 가장 좋아하는 작품은 '웃고 있는 렘브란트'라고 불리는 노년의 '자화상'(Self-portrait·1665)입니다.

어둠 속에 한 노인이 웃고 있습니다. 웃고 있지만 허탈해 보입니다. 그런데 허탈해 보이는 그 모습을 다시 자세히 들여다보면 무척 순수해 보입니다. 삶의 모진 풍파를 겪은 고단한 노년의 삶이 고스란히 드러나는 얼굴입니다. 저는 이 작품에서 고통스러운 현실에 맞서 포기하지 않고 자신의 일에 열정과 애정을 쏟는 한 인간이 보입니다.

렘브란트는 네덜란드 레이덴에서 태어났습니다. 대학을 잠시 다니면서 교양을 쌓기도 한 그는 당시로선 이례적으로 교육을 많이 받은 화가입니다. 견습 화가 생활을 거친 뒤 암스테르담에 정착한 렘브란트는 20대 때부터 명성을 떨쳤습니다. 일찍이 당대를 대표하는 화가가 됐을 뿐만 아니라 사스키아 판 윌렌브르흐와 결혼해 행복한 가정도 이뤘습니다. 그러나 이 행복은 오래가지 못했습니다. 40대 이후 그의 삶은 고통의 연속이었습니다. 사랑하는 아내가 죽고 경제적으로 파산했습니다. 이런 상황에서 그에게 힘이 돼준 것은 아들 티투스와 두 번째 아내 헨드리케 스토펠스입니다. 하지만 안타깝게도 두 사람 모두 렘브란트보다 먼저 죽고 말았습니다. 이제 그에게 남은 것은 질병과 경제적 곤궁뿐이었습니다. 화가로서의 명성도 땅에 떨어지는 비극을 맛보게 됐습니다.

저는 렘브란트의 전기를 읽으면서 한 가지도 참기 어려운 비극이 그에게 연이어 일어났다는 사실에 놀랐습니다. 어쩌다가 젊은 나이에 이미 정점을 찍은 천재 화가에게 이런 삶의 비극이 주어졌을까요. 그러나 저를 더 놀라게 한 것은, 렘브란트가 이런 절망의 상황에서도 '웃고 있는 렘브란트' 같은 자화상을 그려낸 사실입니다. 이 놀라운 자화상을 보면 렘브란트는 그 어떤 순간에도 화가로서의 자기 자신을 온전히 받아들이고 진정으로 사랑한 사람이었을 것이라는 생각이 듭니다.

야간순찰 (The Night Watch, 1642)

렘브란트의 또 하나의 작품을 소개하고 싶습니다. '야간 순찰'(The Night Watch·1642)이라는 제목으로도 알려진 '프란스 반닝 코크와 빌렘 반 라위텐뷔르흐의 민병대'라는 그림입니다. 이 그림은 암스테르담 민병대의 대장 프란스 반닝 코크와 대원들이 작품의 제작 비용을 모금해 렘브란트에게 의뢰한 작품입니다.

이 작품을 소개하는 까닭은, 렘브란트의 그림 중 가장 유명하고 큰 작품이기도 하지만, '집단 초상화'라는 특별한 구성으로 이뤄졌기 때문입니다. 개인의 초상화는 많은 이들에게 친숙하게 느껴지지만 집단 초상화는 그렇지 않습니다. 이 작품은 프란스 반닝 코크 대위와 빌렘 반 라이텐뷔르흐 중위가 그림의 중앙을 차지합니다. 그러나 렘브란트는 이 작품에서 인물들을 의미 없이 배치하던 집단 초상화의 관습을 깨고 역동적인 구성을 도입하는 혁신을 통해 개개인의 다양성을 살려냈습니다.

'웃고 있는 렘브란트'가 개인주의적인 관점을 생각하게 해준다면 '야간 순찰'은 공동체적인 차원을 생각하게 해주었습니다. 저는 친정이 미국이라 미국에서 3~4년을 지낸 적이 있었습니다. 아이가 학교에 다니고 있던 터라 미국 부모들과 이따금 만나곤 했는데, 그들과 얘기하면서 자주 느낀 점은 미국은 기본적으로 개개인의 삶을 최우선으로 생각하는 개인주의 국가라는 점이었습니다. 프라이버시를 존중하고 개인의 판단과 선택을 중시하는 방식이 깔끔하고 합리적으로 다가왔지만, 제겐 이런 개인주의적 인간관계가 다소 불안정하고 불편하기도 했습니다. 저는 다소 의존적인 성향이 있어 사람들과 함께 있는 것을 편안해하고 행복해합니다. 아마도 제가 공동체를 중시하는 한국 문화 속에서 커왔고, 집안에서는 막내로 자랐기에 그런 것이 아닌가 싶습니다.

동양보다 서양에서 개인주의 성향이 두드러진다는 것은 두말할 나위가 없습니다. 이는 무엇보다 서양이 근대화를 먼저 시작했기 때문일 것입니다. 그러나 우리 사회도 점점 더 많은 의사결정과 행동 방식이 개인주의적으로 이뤄지는 방향으로 가고 있습니다. 이러한 현상은 아마도 점점 더 심화되겠지요.

물론 개인주의와 공동체주의 가운데 한 가지 방법만이 옳은 것은 아닙니다. 두 사고방식 모두 장단점을 갖고 있습니다. 우리 사회 안에서만 보아도 윗세대는 아무래도 공동체주의를 우선시하고, 아랫세대는 개인주의를 선호합니다. 어른들은 가족이나 회사와 같은 조직을 위해 개인이 희생하며 기여하기를 바랄 때가 많지만, 젊은 이들은 자신의 삶을 최우선으로 하며 자신의 느낌과 취향을 중시합니다. 한가지의 관점만 정답이 아니기 때문에 자신의 생각을 누군가에게 강요할 수는 없습니다.

사적인 이야기로 글을 맺을까 합니다. 중학교에 막 입학한 제 아들은 외향적인 아이로 보이지만 사실 내성적인 부분도 많았습니다. 아이가 중학교에 들어가니 저는 매사에 노심초사하게 됩니다. 틈만 나면 모든 친구와 사이좋게 지내라고 말하고 학급에서 활발하게 잘 어울리라고 얘기합니다.

그런데 며칠 전 저를 불안케 하는 사건이 있었습니다. 담임선생님과 상담하던 중에 저희 아이가 혼자 있을 때가 많고, 심지어 밥도 혼자 먹을 때가 많다는 이야기를 들은 것입니다. 그때부터 저의 많은 질문이 시작됐습니다. "왜 자주 혼자 있는데?" "너 혹시 왕따니? 왜 밥을 혼자 먹는데" "새 학교에 적응이 어렵니?" 등등의 질문들을 연이어 쏟아냈습니다. 참던 아이가 결국 짜증 섞인 목소리로 제게 말했습니다.

"엄마, 난 친구들과 잘 지내고 싶지만 늘 붙어 지내고 싶지는 않아요. 그냥 나는 혼자 있을 때가 많고, 밥도 맛있어서 혼자 음미하고 즐기면서 먹고 싶은 건데 왜 내가 혼자 있으면 안 되는 거야, 정말. 그리고 저는 제가 좋아하는 친구 한두 명과 있을 때가 더 즐겁고 편하니까 억지로 많은 친구와 우르르 다니라고 하지 마세요. 난 엄마랑 똑같은 성격이 아니라구요."

사춘기 소년의 부모가 되면서 저는 인생에 대해서 처음부터 다시 배우고 있는 느낌입니다. 정답은 없습니다. 말문이 막힌 저는 '그래. 아들아. 렘브란트의 초상화처럼 때로는 너 자신에게 집중하여 너를 표현하고, 때로는 공동체 안에서는 화합의 포즈를 취하면서 잘 어울리도록 노력하면 그것으로 충분하다'고 혼잣말을 합니다.

6. 얀 베르메르 : '편지를 읽는 푸른 옷의 여인', '작은 거리'

편지를 읽는 푸른 옷을 입은 여인
(Woman in Blue Reading a Letter, 1662-1664)

상담을 하다 보면 사람은 사회적 존재라는 말이 참으로 옳다는 생각을 자주 하게 됩니다. 사람은 사람을 필요로 합니다. '사람'에게 받은 상처를 위한 최고의 치유약이 '사람'이라는 사실은 참 아이러니합니다.

사회적 존재인 인간에게 타인과의 관계란 생의 가장 큰 기쁨이 되기도 하고, 가장 아픈 상처가 되기도 합니다. 마음의 상처는 눈에 보이지 않지만 육체적 상처보다 고통이 덜하지 않습니다. 직접적 고통이야 육체적 상처가 더 클 수 있지만, 마음의 상처는 삶을 흔들며 쉽게 아물지 않고 오랫동안 영향을 미칩니다. 이런 마음의 상처를 심리적 용어로는 트라우마(trauma)라고 하지요. 심리학 용어로는 '정신적 외상'입니다.

설명을 위해서 트라우마를 '큰(big) 트라우마'와 '작은(small) 트라우마'로 나누어 보겠습니다. 큰 트라우마가 일상을 넘어선 전쟁 또는 재난과 같은 사건이 삶을 뒤흔들어 놓은 것을 말한다면, 작은 트라우마는 일상적인 사건으로 인해 자신감 또는 자존감을 잃게 되는 것으로 볼 수 있겠습니다. 그러나 큰 트라우마든 작은 트라우마든 모든 트라우마는 삶에 불안과 고통을 안겨준다는 점에선 같습니다. 사람들은 큰 트라우마에는 깊은 걱정과 우려를 표시해 주지만 작은 트라우마는 누구나 겪는 것이라며 소외시킬 때가 있습니다. 그러나 대부분 사람들이 앓는 마음의 병은 지금, 여기에서, 나와 가까운 이들에게, 반복적으로 받는 상처로부터 기인합니다.

다행스럽게도 그 상처가 평생을 따라다니지 않는 경우가 더 많습니다. 일생 동안 아물지 않는 상처도 있지만, 많은 경우 상처는 시간의 힘으로 아물고 치유됩니다. 시간과 망각은 상처의 훌륭한 치료약입니다. 포기하지 않고 견뎌내기만 해도 자신도 모르는 사이 마음의 상처에 딱지가 앉고, 그 딱지는 서서히 떨어지기 마련입니다.

예술은 또 하나의 훌륭한 치료약입니다. 문학이든 음악이든 미술이든 좋은 작품을 만나면 우리는 감동을 받습니다. 이때 느끼는 감동의 또 다른 이름은 공감입니다. 미술 작품을 볼 때 자신의 어떤 부분과 미술 속 어떤 부분이 끈으로 이어진 듯한 느낌을 갖는 순간 미술로부터 공감받고 나아가 치유 받는 경험을 합니다. 미국의 미래학자 제레미 리프킨의 '공감의 시대'에서 리프킨은 인간을 기본적으로 '공감하는 존재'라고 하였습니다. 공감이란 상호 이해에 기반을 둔 감정 이입으로 인간의 자연스러운 본성입니다.

이러한 공감은 인간에게 두 가지를 선사합니다. 하나는 마음의 위안입니다. 상처가 있다면 그 상처를 어루만져 아픔을 덜어주고, 차갑던 마음에 온기를 퍼지게 합니다. 다른 하나는 자기 이해입니다. 무엇인가에 공감한다는 것은 공감하는 자기 자신을 돌아보게 하고, 이 돌아보는 작업을 통해 자신의 삶의 의미에 대해 깨닫게 됩니다.

제가 미술을 사랑하는 까닭도 이것입니다. 감동과 공감으로서의 미술, 위안과 자기 이해로서의 미술이 인간의 상처를 치유하고 새로운 삶의 의미를 찾는 길에 좋은 친구가 되어줄 수 있기 때문입니다.

물론 사람마다 공감하는 화가와 작품은 다릅니다. 우울한 고야의 작품을 보며 공감하는 이도 있고, 열정적인 고흐의 작품에 공감하는 사람도 있으며, 이지적인 마그리트의 작품에서 공감을 느끼는 독자도 있을 것입니다. 또한 화려한 서양화보다는 정적이고 단순하고 깨끗한 느낌의 동양화에서 더 깊은 공감을 느끼는 이들도 많습니다.

오늘 이야기하고 싶은 화가와 작품은 평범한 일상의 가치와 소소한 행복을 전달해 주어 마음에 잔잔한 기쁨과 공감을 일으키는 얀 베르메르(Jan Vermeer·1632~1675)입니다. 17세기 네덜란드 회화를 대표하는 화가 베르메르는 같은 네덜란드 화가인 렘브란트와 비교할 때 생전에 아주 유명한 화가는 아니었습니다. 그는 사망한 후 대중에게 잊혔다가 19세기 중반에 재발견됐고, 지금은 렘브란트 못지않은 명성을 누리고 있습니다. 현재 남아 있는 베르메르의 작품은 30여 점에 불과합니다. 유실된 것도 적지 않겠지만, 기본적으로 베르메르가 많은 그림을 그린 화가가 아니었기 때문입니다. 그의 작품들은 크지도 않습니다. 유명 미술관에서 만날 수 있는 그의 그림은 대개 소품들입니다. 또한 베르메르가 다룬 소재는 평범한 일상입니다. 우유를 따르고, 악기를 연주하고, 레이스를 뜨고, 편지를 쓰거나 읽는 모습 등 사람들의 흔한 모습을 그렸습니다.

그런데 이렇게 평범해 보이는 작품들이지만 베르메르의 그림에는 아주 불가사의한 매력이 있습니다. 그는 빛의 효과를 섬세하게 잡아냈을 뿐만 아니라, 인물과 사물들을 묘사하는 데 정밀한 붓 터치를 화폭에 담아냈습니다. 그 결과, 작은 크기의 그림인데도 베르메르의 작품에는 따뜻함과 신비로움이 담겨 있습니다.

'편지를 읽는 푸른 옷의 여인(Woman in Blue Reading a

Letter)'은 베르메르가 1662~1664년에 그린 작품입니다. 푸른 옷을 입은 여인이 책상 옆에서 머리를 숙이고 편지를 읽습니다. 임신 중인 것 같기도 한 그녀가 마주 보고 선 곳이 환한 것으로 봐서 아마도 그쪽에 창문이 있는 듯합니다. 그리고 벽에는 지도가 걸려 있습니다.

편지를 읽는 여인의 옆모습에선 다소 근심이 느껴집니다. 편지에 안 좋은 소식이 담긴 것 같기도 합니다. 편지를 보낸 이는 누구일까요. 남편이나 연인, 가족일 가능성이 높겠지요. 물론 이 모든 건 감상자의 추측일 뿐입니다. 우리는 밝은 창가에서 한 여인이 편지 읽기에 열중하고 있다는 사실만 알 따름입니다.

이렇듯 베르메르는 안정되고 단순한 구도 안에서 편지를 읽는 여인의 행위와 느낌의 한순간을 포착해 감상자에게 전달합니다. 일상의 소소한 순간이지만, 베르메르가 화폭에 담아낸 정지된 순간은 여인의 다소 근심 어린 표정에도 불구하고 우리에게 일상의 따뜻함과 소중함을 느끼게 해줍니다.

서양 회화에서 17세기를 대표한 화가로는 벨기에의 루벤스, 스페인의 벨라스케스, 네덜란드의 렘브란트, 프랑스의 푸생을 꼽을 수 있습니다. 이들이 화폭에 담은 주요 모티프는 종교와 역사, 그리고 초상화입니다. 스케일이 매우 큰 화가들이지요. 동시대의 화가인 큰 이들과 비교할 때 베르메르는 일상을 캔버스에 담는 풍속화의 전통을 따른 화가입니다. 그러나 소소하지만 삶의 대부분을 이루는 일상에 시선을 던지고, 그 일상의 시간을 보내는 이들의 평범해 보이지만 다양한 표정을 잡아냄으로써 새삼 일상의 소중함을 돌아보게 하는 베르메르의 매력은 어떤 화가에 비교해도 뒤떨어지지 않는다고 생각합니다.

작은 거리 (The Little Street, 1657~1658)

심리 갤러리

'작은 거리(The Little Street)'는 1657~1658년경 네덜란드 도시 델프트를 그린 작품입니다. 델프트는 베르메르가 태어난 고향이자 평생을 산 도시입니다. 이 도시에서 그는 화가가 됐고, 결혼을 했고, 10명이 넘는 아이를 낳았으며, 화가 동업 조직인 델프트 성 루가 길드의 대표를 두 번 맡기도 했습니다. 이 작품은 당시 경제적으로 번성한 이 도시의 평범한 구석을 묘사했는데 붉은 벽돌로 지어진 집들에선 연륜이 느껴집니다. 그림 뒤쪽으론 지붕이 이어지고, 그 끝에 놓인 하늘엔 구름이 잔뜩 끼어 있습니다. 그림 속엔 세 사람이 있습니다. 현관문 안에서 한 여인이 레이스를 뜨고, 골목 안의 여인은 일을 하고 있고, 거리에는 아이가 등을 돌린 채 놀고 있습니다.

너무나 평범해 보이는 풍경이지만 일상의 한순간을 잡아낸 이 작품엔 한갓진 편안함이 담겼습니다. 네덜란드의 옛 도시인데도 저 작은 거리는 제가 어린 시절을 보낸 서울 수유리 풍경을 떠올리게 해주었었습니다. 그림 속 여인들은 어린 저를 돌봐주던 엄마, 친척 아주머니, 동네 어른들처럼 친근하게 느껴지고 그림을 보는 것만으로도 마음이 따스해집니다.

상처를 갖지 않고 살아가는 사람은 없습니다. 시간이 지나며 아물기도 하지만, 크게 아팠던 상처는 오래 지속되기도 합니다. 상처 치유에 가장 효과적인 약이 무엇일까요. 저는, 한결같이 내 옆에 있으면서 웃기도 하고 울기도 하는 나의 사람들, 지저분하지만 더없이 소중한 나의 집과 물건들, 어제와 크게 다를 바 없어 지루하더라도 여전히 꿈을 꿀 수 있게 해주는 나의 일, 즉 나의 일상이라고 생각합니다. 일상이 불행한 사람에게 삶이 행복하게 느껴질 리는 없겠지요.

평생을 가난 속에서 산, 그럼에도 일상을 향한 따스한 시선을 화폭에 담아낸 베르메르의 작품은 평범한 제 하루하루의 소중함과 의미를 돌아보게 해준 고마운 그림입니다. 지금 여러분의 오늘은 어떠하신지요. 특별한 하루가 아니면 어떻습니까. 사람에게 가장 중요한 것은 사랑하는 이들과 보내는 평범한 하루하루일 것입니다.

심리 갤러리

제 2 부
신고전주의, 낭만주의, 인상파

7. 자크 루이 다비드 : '마라의 죽음', '레카미에 부인의 초상'

마라의 죽음 (The Death of Marat, 1793)

오래전 20대의 제게 한 선배가 물었습니다. "너는 지금 정부에 대해 어떻게 생각하니?" 선배가 상당히 과격한 정치적 견해를 갖고 있다는 것을 알고 있던 저는 부담스러워 대충 대답했습니다. "글쎄요. 전 정치에 대해선 특별한 마음이 없어요. 어차피 뽑혔으니까 부디 잘하기를 바랄 뿐이에요." 선배는 시니컬한 표정으로 제게 말했습니다. "정치의식이 약하다는 건 세상에 대한 관심이 없다는 것 아닐까? 그리고 세상에 대한 관심이 없는 이들이 사람에 대해선 애정이 있다고 할 때 나는 정말로 이해가 되질 않아."

40대가 된 지금의 저는 정치에 무관심하지 않습니다. 하지만 아직도 그때 선배가 한 질문에 대한 답은 여전히 잘 모르겠습니다. 정치에 대한 마음이 없다고 세상과 사람에 대한 애정이 없는 것일까요? 저는 그런 것 같지 않습니다. 사람은 모두 서로 다른 삶을 살아가니까요.

정치에 대한 태도는 개인의 자유입니다. 누구든 정치에 무관심한 채 살아갈 수 있습니다. 정치적 무관심은 오늘날 세계적인 현상이기도 합니다. 특히 젊은 세대들은 점점 더 정치에 무관심해지는 것으로 보입니다. 하지만 우리나라에서 정치는 여전히 많은 이들에게 가장 뜨거운 주제입니다. 특히 식지 않는 소셜네트워크서비스(SNS) 공간에서 정치는 가장 즐겨 토론되는 주제이고, 양상이 여러모로 변해간다고는 하지만 논쟁적이기는 여전히 마찬가지입니다.

정치를 생각할 때 제게 가장 먼저 떠오르는 화가는 단연 프랑스의 자크 루이 다비드(Jacques-Louis David, 1748~1825)입니다. 다비드가 살았던 18세기 후반과 19세기 전반의 유럽은 가히 '혁명의 시대'였습니다. 1789년 프랑스대혁명은 이 혁명의 시대를 상징하는 일대 사건이었지요.

서양 회화의 역사에서 같은 시대를 살았지만 전혀 다른 느낌을 주는 화가들이 있습니다. 같은 유럽이더라도 나라가 다를 경우 그 느낌의 차이는 더욱 커집니다. 서양 근대 회화에서 이런 차이의 느낌을 확연히 안겨준 화가들 중 다비드와 프란시스코 고야(1746~1828)는 특별합니다.

두 화가는 모두 혁명의 시대 한가운데 있었습니다. 다비드가 혁명의 본산인 프랑스에서 활동했다면, 고야는 혁명의 변방인 스페인에서 살았습니다. 두 사람의 화풍 역시 적잖이 달랐지요. 다비드가 신고전주의를 이끈 화가였다면, 고야는 낭만주의에 가까운 화가였습니다. 현재에는 고야가 더 널리 알려졌지만, 당대에는 다비드가 더 유명했습니다. 당시 프랑스는 유럽정치의 중심을 이뤘고, 그 정치의 의미를 화폭에 담은 화가가 바로 다비드였기 때문입니다.

다비드로 대표되는 신고전주의는 장식적인 로코코에 맞서서 일어난 미술 운동이자 양식입니다. 그리스와 로마로 대표되는 고대 시대의 모티브를 활용하고 구도 및 표현에서 조화와 균형의 미학을 중시하는 양식이기도 하지요. 신고전주의는 프랑스대혁명 전후 시기에 프랑스를 중심으로 유럽 전역에서 유행한 고대에 대한 열풍을 반영하고 있었습니다.

다비드의 출세작인 '호라티우스의 맹세'는 신고전주의의 대표작 중 하나로 손꼽힙니다. 가족들의 비탄에도 불구하고 전쟁에 나서는 이들의 결연한 모습은 사적 감정보다 공적 이상을 우선시하는 다비드의 문제의식을 잘 보여줍니다. 흥미로운 역사의 아이러니는 프랑스대혁명의 이상을 드러낸 이 작품이 혁명에 의해 희생된 루이 16세의 의뢰로 제작됐다는 점입니다.

다비드는 프랑스대혁명을 열렬히 지지했던 화가로서, 서양 회화의 역사에서 그 어떤 화가보다도 정치적이었다고 평가됩니다. 그는 혁명을 이끌었던 국민공의회 의원이면서 급진파를 주도했던 로베스피에르와 친분이 두터웠습니다. 대혁명 시기에 그려진 다비드의 작품들 가운데 가장 널리 알려진 작품은 '마라의 죽음'(The Death of Marat, 1793)입니다.

지금 한 사람이 욕조 안에서 죽어 있습니다. 이 그림은 혁명 지도자 중 한 사람이었던 마라가 반대파를 지지했던 한 여성에 의해 암살된 직후의 극적인 장면을 담고 있습니다. 마라는 피부병을 앓고 있었기에 식초에 담근 터번을 둘렀는데, 다비드는 이 혁명 지도자의 비극적 최후를 밝음과 어둠의 극적인 대비를 통해 생생히 전달하고 있습니다. 비록 생명을 잃었지만 욕조 속 마라의 모습에서는 혁명의 순수함과 숭고함이 느껴집니다. 마라의 이름 아래 자신의 이름을 분명하게 적어 넣음으로써 다비드는 혁명에 대한 자신의 열렬한 지지를 드러내고 있습니다.

다비드의 일련의 작품들은 미술과 정치의 관계에 대한 화두를 던져줍니다. 미술과 정치는 본질적으로 너무나 다른 영역이지만 미술은 때에 따라서는 매우 정치적인 것이 될 수도 있는 듯합니다. 정치의 선동과 선전에 미술은 훌륭한 수단이 될 수 있기 때문입니다. '마라의 죽음'은 그 적절한 사례입니다. 한 혁명가의 죽음을 화폭에 담아 다비드는 관람자들이 혁명이 가져온 뜻하지 않은 비극을 마주하게 하고, 그 대면 속에서 혁명의 가치를 다시 한번 환기시킵니다.

그러나 저는 미술 작품에 선전과 선동이 너무 분명하게 표현돼 있을 경우 그 예술적 가치는 훼손시킨다고 생각합니다. 20세기 사회주의 국가들의 미술이 대표적인 사례겠지요. 과도한 선전과 선동은 결국 미술을 수단함으로써 인위적인 감동을 강제합니다. 예술적 감동이란 자연스러운 것이지 인위적인 것이 아닙니다. 저는 '미술만을 위한 미술'에 전적으로 동의하는 것은 아니지만, '권력을 위한 미술'은 더욱 지지할 수 없습니다. 미술을 포함한 예술의 일차적인 가치는 삶에 대한 다양하고 심도 있는 이해와 공감에 있고, 나아가 이러한 이해와 공감을 통해 더 충만하고 행복한 삶을 모색하는 데 있다고 생각하기 때문입니다.

여하튼, 선전과 선동의 의미를 화폭에 담으려고 할 경우 그것이 얼마나 효과적인가는 화가의 능력에 달려 있다고 가정할 때 다비드는 정말 놀라운 능력을 갖춘 화가였습니다. '마라의 죽음'에서 볼 수 있듯 그는 선전과 선동을 앞세운 게 아니라 미술적 성취를 통해 그 결과로써 혁명 가치의 재발견하게 하기 때문입니다.

화가가 특정한 정치적 이념을 지지하거나 표명하는 것은 자유입니다. 근대 이후 어떤 화가들은 정치적 성향이 분명했고, 어떤 화가들은 정치적 이념에 무관심했습니다. 그리고 정치적 성향이 분명한 화가라고 모두 자신의 이념을 화폭에 담지는 않았습니다.

다비드가 이례적인 것은, 프랑스대혁명을 지지하고 나폴레옹을 지지했던 그가 자신의 정치적 이념을 분명하게 표출된 작품들을 다수 남겨 놓았다는 점이고, 더 특별한 사실은 이러한 다비드의 작품들이 상당한 예술적 감동을 선사한다는 점입니다.

레카미에 부인의 초상 (Portrait of Madame Récamier, 1800)

'레카미에 부인의 초상'(Portrait of Madame Récamier, 1800)은 다비드의 그림들 가운데 미완성의 작품입니다. 지금 한 여인이 긴 의자에 누워 이쪽을 바라보고 있습니다. 화면 구성은 더없이 단순합니다. 의자, 쿠션, 발 받침, 그리고 촛대가 전부입니다. 단순한 구도는 여인의 아름다움을 도드라지게 합니다. 헤어밴드를 한 자연스러운 머리, 당당한 표정, 자연스러운 포즈, 그리고 고대 로마풍의 흰색 옷은 단순함과 품위를 추구했던 신고전주의적 아우라를 만들어 냅니다.

이 그림은 군데군데 캔버스의 흰색 부분이 보일 정도로 미완성 상태로 남아 있는 작품입니다. 다비드는 당시 프랑스 사교계를 주름잡았던 레카미에 부인으로부터 초상화를 의뢰받았지만, 이 작품을 완성하기도 전에 부인이 다비드 제자에게 초상화를 다시 의뢰함으로써 다비드는 이 작품의 제작을 중단했다고 합니다. 미완성임에도 불구하고 '레카미에 부인의 초상'은 다비드가 초상화에도 뛰어난 화가였음을 보여줍니다. 단순, 절제, 균형이라는 신고전주의 이상을 재현함으로써 다비드는 신비로운 아름다움을 담은 초상화의 한 전형을 성취했습니다.

프랑스대혁명과 나폴레옹 시대를 대표하던 화가였던 다비드의 말년은 행복하지 못했다고 합니다. 나폴레옹이 실각한 후 1816년 그는 프랑스에서 추방되어 벨기에 브뤼셀로 갔고, 10년 가까이 그곳에서 망명 생활을 하다가 사망했습니다. 혁명의 시대에 정치적 성향이 뚜렷한 화가로서의 삶을 추구했던 만큼 불우한 삶의 최후는 어쩌면 자신의 선택에 따른 결과였을지도 모르겠습니다.

다비드가 죽고 난 후 그의 명성도 이내 시들해졌습니다. 낭만주의와 인상파가 큰 관심을 모으면서 다비드 그림과 같은 신고전주의는 진부하고 딱딱한 양식으로 평가됐기 때문입니다. 다비드 작품들이 다시 관심을 받은 것은 제2차 세계대전 이후였습니다. 르네상스에서 인상파에 이르는 서양 미술의 역사가 양식의 변화에 따라 정리되면서 다비드는 신고주의를 대표하는 화가로, 미술과 정치의 관계를 극적으로 보여준 특별한 화가로 재평가됐습니다.

미술이 우리 삶을 반영하는 예술의 하나라면, 우리의 삶의 중요한 부분이 정치로 이뤄진 만큼, 미술이 정치에 대해 다루는 것은 자연스러운 일입니다. 다만 중요한 것은, 직접적이든 간접적이든 미술이 정치를 다룰 때 예술로서의 미술이 가져야 할 자율성을 상실해서는 안 된다는 점입니다. 이런 점을 주목할 때 다비드는 참으로 놀라운 화가입니다. 감동의 원천이 되는 미술의 예술성을 손상하지 않으면서도 미술이 가질 수 있는 정치적 효과를 극대화한 화가라는 점에서 그렇습니다.

좋은 미술 작품이 우리 삶에 대해 큰 감동을 주듯, 좋은 정치는 우리 삶을 바꾸는 출발점이 될 수 있습니다. 다비드는 더 좋은 세상이 오기를 바라는 마음을 포기할 수 없었던 것이 아닐까요?

8. 프란시스코 고야 : '이성의 잠은 괴물을 낳는다', '곤봉 결투'

이성의 잠은 괴물을 낳는다
(The Sleep of Reason Produces Monsters, 1799)

'심리적 거리'에 대해 생각하곤 합니다. 미술 작품을 감상할 때 가깝게 여겨지는 작품이 있고, 멀게 느껴지는 작품이 있습니다. 작품을 감상하며 느끼는 심리적 거리란 작품에 대한 공감의 정도라고도 표현할 수 있을 것 같습니다. 대부분의 사람들은 작품의 탁월성은 인정하지만, 마음에 어떤 울림도 없을 때 작품과의 심리적 거리를 느낄 것입니다. 저도 그렇습니다. 특히 서양 회화는 기본적으로 서양의 역사와 사회 안에서 이뤄진 것이라서인지 동양인인 제가 작품을 보자마자 친숙한 느낌을 갖는 경우는 많지 않습니다.

그런데 이런 심리적 거리를 전혀 느끼지 않게 해준 서양화가는 스페인 화가인 프란시스코 고야(Francisco Goya·1746~1828)입니다. 고야의 그림은 다소 독특합니다. 처음부터 즐거움을 안겨주지 않습니다. 오히려 낯섦, 불쾌함, 고통스러움이라는 단어가 그의 그림과 더 어울리는 단어일 것입니다. 하지만 저는 그의 작품에서 조금의 불편함도 느끼지 않습니다. 이유를 곰곰이 생각해 보니 그것은 고야의 그림에서 느껴지는 것들은 인간의 근원적인 고뇌와 용기, 치열함과 안도, 절망과 희망과 같은 지금의 우리에게도 친숙한 감정들이기 때문인 듯합니다.

고야를 서양 회화의 특정 유파로 분류하기는 어렵습니다. 스페인 화가인 고야가 활동하던 시대에 유럽 회화를 이끈 나라는 프랑스입니다. 18세기 후반과 19세기 전반에 프랑스 회화를 주도한 것은 다비드의 신고전주의와 들라크루아의 낭만주의입니다. 절제와 균형을 목표로 한 신고전주의 회화와 비교해 고야의 작품은 오히려 자유로운 감정을 중시한 낭만주의 성향을 보였습니다. 하지만 그렇다고 고야를 낭만주의 회화에 묶어둘 수는 없습니다. 그는 평생을 거쳐 변화를 모색했고, 그 변화 속에서 우리 인간과 삶에 대한 근본적인 성찰을 안겨준 화가이기 때문입니다.

고야의 회화는 다채롭습니다. '옷을 입은 마야' '옷을 벗은 마야' 같은 널리 알려진 인물화도 있고, '카를 4세의 가족' 같은 궁정화가의 면모를 드러낸 작품도 있습니다. 또 '1808년 5월 2일' '1808년 5월 3일' 같은 시대적 사건을 담은 뛰어난 역사화를 제작했습니다. '검은 그림' 연작과 같은 인간의 리얼한 삶을 나타내는 그림들도 있습니다. 이런 그의 작품들은 예술을 넘어 역사 혹은 인간 의식을 고발하는 기록물 같기도 합니다.

또한, 고야는 몇 개의 판화집을 발표하기도 했습니다. '전쟁의 참화'와 '로스 카프리초스(Los Caprichos)'는 대표적인 화집으로 꼽힙니다. 그중에서도 오늘 소개하고 싶은 작품 '이성의 잠은 괴물을 낳는다(The Sleep of Reason Produces Monsters·1799)'는 '로스 카프리초스'의 43번째 작품입니다. 에칭과 아쿠아틴트 기법으로 제작된 '로스 카프리초스'는 총 80장으로 이뤄졌는데, 로스 카프리초스의 뜻은 '일시적 기분' 또는 '변덕'을 의미합니다. 1790년대에 제작된 이 화집은 당시 계몽주의 사상으로부터 영향을 받은 것으로 평가됐습니다. 계몽주의의 핵심은 인간의 이성을 중시하는 데 있지요. 고야는 낙후된 스페인이 발전하려면 영국과 프랑스의 계몽주의를 적극적으로 받아들여야 한다고 생각한 것 같습니다.

'이성의 잠은 괴물을 낳는다'의 메시지는 분명합니다. 이성이 잠들 때 우리는 갑자기 미지의 존재를 만나게 되는데 비합리성, 불안, 폭력, 광기와 같은 그 괴물은 우리를 혼란스럽게 하고, 결국 이성과 합리성을 부정하게 만듭니다. 작품에서 볼 수 있듯 잠자는 이의 주변에 나타난, 고양이·올빼미·박쥐 등의 형상을 한 괴물들의 표정은 기이하고 섬뜩하며, 또 간교해 보이기도 합니다. 그 괴물들은 하나가 아니라 무수합니다.

이 작품을 보며 저는 이성의 의미에 대해 생각해 봅니다. 이성이란 무엇인가요? 그것은 사유하는 능력으로서 흔히 감성과 대비되는 것이지요. 이 이성 때문에 인간이 다른 동물과 구별될 수 있습니다. 프랑스의 철학자 르네 데카르트에 의하면 인간이 존재할 수 있는 이유는 생각하는 능력 때문입니다. '나는 생각한다, 고로 나는 존재한다'는 그의 유명한 테제이지요. 바로 이 생각하는 힘과 능력이야말로 이성의 중핵을 이룹니다.

이성이 특히 중요한 이유는 이성의 능력이 인간사회의 갈등을 줄이고 소통을 통한 합의들을 이끌어 내기 때문입니다. 이성에 담긴 의미 가운데 가장 중요한 것은 합리성일 것입니다. 합리성이란 이치에 맞는 것이고, 합리적 생각은 나뿐 아니라 다른 사람들에게도 동의를 구할 수 있기에 보편성을 갖습니다.

18세기 후반과 19세기 전반을 산 고야가 우려한 것은 이성의 과잉이 아니라 이성의 과소였습니다. 당시 스페인 사회는 영국, 프랑스와 비교해 볼 때 상대적으로 발전 속도가 느렸습니다. 고야는 자신의 조국 스페인이 이성보다는 종교적 열정에, 합리성보다는 비합리적 의례에 관심이 더 큰 것을 불만스럽게 여기었고, 이웃 나라 프랑스의 대혁명을 이끈 계몽주의에 공감하여 당시 스페인의 비이성적인 현실에 대한 회의와 풍자, 고발을 '로스 카프리초스'에 담았습니다.

고야의 작품 가운데 가장 큰 놀라움을 안겨준 것은 '검은 그림(Black Paintings)' 연작입니다. 고야는 1792년부터 청력을 잃기 시작해 결국 귀머거리가 됐습니다. 청력을 잃은 고야는 마드리드 근교에 있는, 흔히 '귀머거리의 집'으로 알려진 별장에 살면서 1823년까지 집 안 벽면에 그림을 그렸습니다. 나중에 프라도 미술관으로 옮겨진 이 작품들은 당시 고야의 내면세계를 생생히 담았는데, 이때 그린 작품들은 음울하고 기괴하며 마음을 불편하게 합니다. 14점의 연작 가운데 '아들을 먹어 치우는 사투르누스' '모래 늪의 개' '성 이시드로의 축제' 등은 널리 알려진 작품입니다.

곤봉결투 (Fight with Cudgels, 1820-1823)

'곤봉 결투(Fight with Cudgels·1820~1823)'도 그 하나입니다. 그림에서 볼 수 있듯 두 사람이 모래 또는 늪에 서서 싸웁니다. 모래 또는 늪에서 빠져나오기 위해선 서로 소통하고 협력해야 하는데 두 사람은 서로를 공격하고 있고, 이 싸움은 끝이 없을 것처럼 보입니다. 이 작품을 놓고 어떤 이들은 당시 유럽 국가 간 전쟁 또는 스페인 내전을 암시한다고 해석하기도 했지만, 제가 보기에 고야는 이 작품을 통해 인간에게 내재된 광기와 폭력성을 비판하며 고발하는 것처럼 보입니다.

이 그림을 보면 프로이트의 개념인 '타나토스'가 떠오릅니다. 타나토스는 죽음의 본능입니다. 인간은 삶과 사랑에 대한 충만성과 본능을 가지고 있지만 동시에 파괴하고 죽이고 싶은 본능도 가지고 있습니다. 고야의 그림에서는 인간이 지닌 타나토스적 욕망과 마주하게 됩니다.

'검은 그림' 연작은 1878년 프랑스 파리에서 열린 전시회에서 국제적으로 선보였습니다. 하지만 당시 관람객들은 이 작품들을 미친 화가의 작품으로 여기고 큰 관심을 보이지 않았다고 합니다. 오직 인상파 화가들만이 이 연작을 주목했는데, 어둡지만 강렬한 이미지는 이들에게 큰 영향을 미쳤습니다. 또한, 20세기 전반에 등장한 표현주의와 초현실주의 화가들도 고야로부터 작지 않은 영감을 받았습니다.

고야가 죽고 난 다음 세계는 그가 강조했듯이 이성과 합리성을 중시하는 방향으로 움직였습니다. 계몽주의가 역사에서 승리한 것이지요. 그러나 인간이 만든 제도란 완전할 수 없는 것일까요. 이성과 합리성이 승리를 이뤘다고 생각하는 현대사회에서도 비합리성·광기·폭력과 같은 괴물은 여전히 인간의 삶을 끊임없이 뒤흔들어 놓습니다. 도리어 오늘날 불확실한 정보나 편견을 기반으로 해 다른 이를 비난하고 배척하며 낙인찍는 폭력적 행위가 더 자주 일어나는 것으로 보입니다.

저는 거의 매일 시사 프로그램에 패널로 출연해 하루에 일어난 주요 사건 사고에 대해 평론을 하고 있습니다. 제가 우려하는 것은 이 시대 각종 사건 및 사고가 하루하루 더 잔혹한 형태로 진화한다는 점입니다. '이보다 더 잔인한 사건은 앞으로 없을 것'이라고 생각했던 어제의 기대가 오늘 여지없이 무너지는 것을 지켜보면 마음이 매우 착잡해집니다.

인간은 이성적인 존재일까요, 아니면 본성이 우선하는 존재일까요. '사람이 사람을 치유할 수 있다'고 생각하며 살아가는 상담사인 저는 어떤 어려움 속에서도 인간에 대한 긍정성을 놓고 싶지 않지만, 타인의 목숨에 대해 일말의 죄책감도 없이 살인을 저지르는 인간의 범죄성을 목도할 때면 '과연 인간에게 희망이 있을까' 하는 부정적인 생각에 사로잡히게 됩니다. 결국, 인간은 선하기도 하고 악하기도 하며, 세상은 아름답기도 하고 추하기도 하다는 절충적 대답을 할 수밖에 없어집니다.

오늘도 여지없이 편견, 광기, 폭력으로 인한 사고가 신문과 인터넷을 가득 채웠습니다. 고야 시대의 제어되지 않는 광기는 긴 역사의 강을 넘어 현대에서도 활개를 치는 것으로 보입니다. 고야의 메시지처럼 우리의 이성이 잠들어버린 것일까요. 이성과 함께 우리

안의 따듯한 마음도 너무나 깊이 잠들어 버린 것은 아닐까요.

심리 갤러리

9. 테오도르 제리코 : '메두사의 뗏목', '미친 여자'

메두사호의 뗏목 (The Raft of the Medusa, 1819)

최근 우리 사회를 설명할 때 가장 많이 쓰이는 감정 용어는 '분
노'가 아닐까 합니다. 분노란 '분개하여 몹시 성을 내거나, 또는
그렇게 내는 성'을 뜻하는데, 이런 분노는 종종 범죄행위로 나타나
기도 한다는 점에서 위험한 감정입니다. 요즘은 뉴스를 보면 하루
가 멀게 '분노조절장애'라는 단어를 듣게 됩니다. 다른 나라 사람
들과 비교해 우리나라 사람들이 체질적으로 화를 더 많이 낸다고
보기는 어렵습니다. 그런데 왜 우리 사회에서 분노 범죄가 늘어나
는 걸까요.

먼저 생각해 볼 수 있는 것은 개인적 심리구조입니다. 무한 경쟁의 사회 속에서 개인들은 감당하기 어려운 정도의 압박을 받습니다. 언제라도 생존의 게임에서 낙오자가 될 수 있다는 생각에 우리들은 불안해하다가 결국 화가 납니다. 이렇게 불안하고 화가 나는데 상처받은 마음을 다독여줄 타인은 좀처럼 보이지 않습니다. 위로해줄 타인이 없으면 가족이라도 내 편이 되어주어야 할텐데 마지막 보루인 가정도 위태하기는 마찬가지, 가족이 개인을 달래주기보다 도리어 좌절하게 하고 폭발시키는 경우도 많아지고 있습니다.

사회적인 구조도 분노를 증폭시킵니다. 공분(公憤)을 일으키는 사건들이 하루가 멀다 하고 쏟아져 나오고 있습니다. 권력을 가진 이들의 이른바 '갑질', 인면수심이라는 말이 절로 나올만한 잔혹범죄 등은 많은 시민들이 사회적, 집단적으로 치밀어 오르는 분노를 감당할 수 없게 만들 때가 많습니다. 억울하고, 거칠고, 살벌한 사회구조 속에서 사람들은 두려워하고, 무력감을 느끼다가 결국 분노하게 됩니다.

그러나 분노에는 양면성이 있습니다. 분노 감정은 위험하지만 자신을 보호하기 위한 자연스러운 감정일 때도 있고, 성장과 발전을 위한 기폭제가 되기도 합니다. 타인에게 위해가 되지 않는다면 때에 따라서는 분노를 표현하는 것이 옳고, 좋을 수도 있습니다. 자신이 인간다운 대접을 받지 못할 때, 정의롭지 못한 사회적 사건을 대할 때 우리는 분노하지 않을 수 없습니다. 심리학자 하인즈 코헛(Heniz Kohut)은 '분노'와 '격노'를 구분했습니다. 그는 정당한 분노는 건강한 자아가 형성된 사람이 드러내는 자연스러운 감정이지만, 격노는 내면의 핵(core)이 취약하고 파편화된 사람이 드러내는 비합리적인 감정이라고 설명했습니다. 그는 이 격노의 뿌리가 채워지지 않은 애정의 욕구에 있다고 파악하였습니다. 격노이든 분노이든 이 감정이 어려운 것은 이것을 적절하게 조절한다는 것이 너무나 힘들고, 이 감정을 조절하지 못할 경우 자기 자신도, 타인도 심각하게 파괴하기 때문입니다.

서양 회화에서 분노를 가장 잘 표현한 작품의 하나로 꼽는 것은 프랑스 화가 테오도르 제리코(Theodore Gericault·1791~1824)의 '메두사의 뗏목(The Raft of the Medusa·1819)'입니다. 회화에 관심 없는 이들도 어디선가 한 번은 보았을 유명한 작품이지요. 제리코는 들라크루아와 함께 19세기 낭만주의 회화를 대표하는 화가입니다.

제리코는 서른세 살에 요절한 천재 화가입니다. 중산층 집안에서 태어난 그는 활기차고 자유분방한 성격이었으나 동시에 우울한 기질도 지니고 있었다고 전해집니다. 전형적인 낭만적 기질의 소유자였던 셈입니다. 이런 성격을 가졌기에 그는 이성적이고 논리적인 것으로부터 벗어나 인간의 자유로운 감정을 마음껏 표현하고자 한 낭만주의 회화를 열 수 있었던 것 같습니다. 제리코를 중심으로 한 낭만주의 회화는 역동적인 구도, 대담한 색채, 생동감 있는 붓 터치 등으로 우리 마음의 심연 가운데 어느 한 곳을 흔들어 놓습니다. 오늘 소개할 그림 '메두사의 뗏목'은 낭만주의 시대를 연 작품으로 평가되어 왔습니다.

제리코가 이 작품을 그린 데에는 사연이 있습니다. 이 그림이 담은 사건은 이렇습니다. 1816년 아프리카 세네갈로 가는, 400여 명을 태운 프랑스 군함 메두사호(號)가 대서양에서 암초를 만나 난파됐습니다. 선장을 포함한 일부 선원은 구명보트를 타고 탈출했고, 남은 선원과 승객 150명은 뗏목을 만들어 탈출을 시도했습니다. 표류하는 뗏목 위에서는 살아남기 위해 죽은 사람의 고기를 먹는 등 끔찍한 일이 일어났다고 합니다. 이들이 구조됐을 때 남은 이는 겨우 15명에 불과했는데, 뗏목 위에서 벌어진 이들의 끔찍한 사투는 당시 프랑스 사회에 큰 충격을 안겨줬습니다.

젊은 제리코는 끔찍하고 충격적인 이 사건을 작품으로 남기기로 결정합니다. 어떤 장면을 그릴까 고민하다 끝까지 살아남은 이들이 자신을 구조할 수 있는 배를 발견하는 마지막 순간을 화폭에 담았습니다. 이미 시체가 되어버린 사람, 죽음의 공포 앞에서 절망하는 사람, 살아남기 위해 절규하는 사람, 그리고 구조할 배를 발견해 기뻐하는 사람 등을 포함한 다양한 군상의 극적인 모습이 그의 작품에서 참으로 리얼하게 표현되었습니다. 그는 이 작품을 준비하면서 시체안치소를 방문하고 생존자를 인터뷰하기도 했다고 합니다.

많은 사람들이 파리 루브르 박물관에 있는 이 거대한 작품 앞에 서면 역동적인 구도와 격렬한 감정 표현에 충격을 받는다고 합니다. 저도 루브르를 방문했을 때 이 그림 앞에서 떠나지 못했던 기억이 생생합니다. 스물다섯 살의 젊은 제리코는 절제와 균형을 강조한 다비드의 신고전주의를 넘어서서 인간의 감정을 있는 그대로, 전율을 느낄 정도로 리얼하게 재현해 냈습니다. 그의 그림을 자세히 보자면 마치 신화를 역동적으로 묘사한 바로크의 대표 화가 루벤스가 참혹한 현실 세계로 하강한 듯한 느낌이 들기도 하는데, 실제로 제리코는 루벤스로부터 큰 영향을 받았다고 합니다.

당대에 '메두사의 뗏목'이 큰 관심을 모은 이유 중 하나는 이 사건의 원인에 있었습니다. 앞서 말씀드렸듯이 배가 암초에 걸려 난파당하자 선장과 일부 선원은 구명보트로 탈출했는데, 25년 동안 배를 타본 경험이 없던 퇴역 장성 출신인 선장이 그가 승객을 놔두고 먼저 탈출한 비윤리적 행동은 당시 프랑스 국민의 큰 공분을 불러일으켰습니다. 뒤 쇼마레라는 그 선장은 뇌물을 주고 선장 자리를 얻은 것이 알려져 시민들의 분노는 하늘을 찌를 듯했지요. 아프리카 식민지 개발을 위해 떠나는 거대한 군함, 선장의 뇌물과 관료의 부패, 자기들만 살겠다는 상류층의 이기주의 등이 이 작품의 배경에 있다고 하겠습니다.

요컨대, 제리코는 이 작품을 통해 절체절명의 위기에 놓인 인간의 적나라한 모습을 묘사하는 동시에 많은 이를 위기로 내몬 상류층의 부정부패를 고발한 것으로 보입니다. 작품이 발표되자마자 격렬한 반향을 불러일으킨 이유도 바로 여기에 있습니다. 인간의 참혹성에 대한 경악과 부패한 사회 현실에 대한 분노가 작품에 그대로 드러난 셈입니다.

안타깝게도 세상을 일찍 떠난 탓에 제리코는 다른 작가들처럼 많은 작품을 남기지는 못했습니다. '메두사의 뗏목' 외에 주목을 받은 그의 작품들은 정신병자를 다룬 초상화 연작입니다. 낭만주의자답게 그는 인간의 내면에 주목했고, 인간의 심리적 고통에 큰 관심을 가졌습니다. 그는 정신병자 초상화를 그리기 위해 정신병원을

찾아가 환자를 직접 관찰하고 의사의 자료를 참고하는 등의 노력
을 기울였습니다.

미친 여자 (Insane Woman, 1822)

심리 갤러리

'미친 여자(Insane Woman·1822)'는 이러한 연작 중 하나입니다. 얼굴에는 따뜻함이 전혀 느껴지지 않고, 상대방을 응시하는 눈빛이 매우 서늘합니다. 무엇인가를 의심하는 것처럼 보이면서도, 동시에 다소 외로워 보이기도 합니다. 어느 하나를 골똘히 생각하거나, 아니면 생각 자체를 잃어버릴 때 이런 표정을 짓게 되는 것일까요. 어떤 삶의 과정을 지나왔기에 그림 속 그녀는 이다지도 서늘하고 무서운 모습일까요.

제리코가 젊은 나이였음에도 이렇듯 인간의 내면을 형상화하는 데 탁월한 역량을 발휘했다는 점이 제겐 놀라움으로 다가옵니다. 인간은 심리적으로 섬세한 존재이고, 깨지기 쉬운 존재입니다. 감정의 영역은 특히 그렇습니다. 인간의 감정을 과도하게 드러내는 낭만주의 회화에 늘 공감하지는 않았습니다. 하지만 상담학을 공부해온 제게 제리코의 작품은 인간의 본래적인 심리와 감정에 대해서 작지 않은 통찰을 안겨줍니다. 그의 그림에서는 제가 제 삶을 통해, 또한 상담을 통해 마주치게 되는 인간의 마음속 고통과 조우하게 되기 때문입니다.

문명의 너무나 빠른 속도로 발전하는데 자기 마음속 분노를 조절할 수 없어 자신도, 타인도 파괴해 버리는 사람이 점점 더 늘고 있다는 사실에 가슴 한켠이 답답해집니다. 우리가 살고 있는 우주는 참으로 넓은 공간입니다. 하지만 한 인간의 마음 역시 우주만큼이나 넓은 것 같습니다. 내 마음을 다잡지 못해서 소중한 세계를 파괴해 버리는 인간의 연약함, 오늘도 마음공부를 중단할 수 없는 이유입니다. 그리고 분노를 일으키는 수많은 사회적 사안들에 대한 관심 또한 삶을 사랑하는 한 포기할 수 없습니다.

심리 갤러리

10. 외젠 들라크루아 : '민중을 이끄는 자유의 여신',
'사르다나팔루스의 죽음'

민중을 이끄는 자유의 여신 (Liberty Leading the People, 1830)

선거는 민주주의에서 가장 중요한 절차입니다. 권력이 세습에 의해 주어지는 제도가 군주정이라면, 민주주의는 선거를 통해 권력을 선택할 수 있는 제도이지요. 서양에서는 근대 시대에 이러한 민주주의가 보편적 정치제도로 자리 잡았지만, 우리나라에서는 1945년

광복 이후에야 시행착오를 거듭하면서 정치의 기초를 이루는 제도로서의 민주주의가 뿌리 내려왔습니다. 그림과 마음을 다루는 글에서 왜 뜬금없이 민주주의에 대한 이야기를 하느냐고 질문하시는 분들도 계실 듯합니다. 저는 이념이나 정치를 말하려 하는 것이 아니라 요즘 우리 사회를 강타하고 있는 선거 열풍 속에서 민주주의를 드러내는 미술 작품들을 살펴보고 싶어졌을 뿐입니다.

민주주의라는 단어를 생각할 때 제 마음에 떠오르는 가치는 '자유'와 '평등'입니다. 사람의 마음을 만나는 것이 직업인 제가 보기에 '내 삶은 온전히 나의 것이다. 내 인생의 모든 결정은 나 스스로 결정할 수 있다'는 자유 의식은 한 존재가 자신의 삶을 온전히 실현하기 위해 기본이 되는 근본 가치입니다. 또한 '나는 사회를 이루는 한 주체이다. 나는 다른 이와 동등한 권리를 갖고 있다'는 평등 의식은 자신에 대한 자긍심을 지니기 위한 기본 토대입니다.

서양 회화의 역사에서 민주주의를 가장 잘 보여준 작품은 외젠 들라크루아(Eugene Delacroix·1798~1863)의 '민중을 이끄는 자유의 여신'(Liberty Leading the People, 1830)을 꼽을 수 있습니다. 이 그림은 프랑스 민주주의를 상징할 뿐만 아니라 많은 이들이 민주주의를 이야기할 때 가장 즐겨 인용하는 작품이기도 합니다.

들라크루아는 다비드의 신고전주의 회화에 맞서 낭만주의 회화를 열고 이를 대표한 화가 중 한 명입니다. 앞에서 설명했듯이 낭만주의 회화는 객관보다 주관을, 이성보다는 감성을 중시하고, 인간이 갖는 상상력을 자유분방하게 표현한 화풍을 말합니다. 낭만주의 회화는 인간의 고양된 감정을 드러내기 위해 화려한 색, 격렬한 붓 터치, 극적인 구성, 외국에 대한 동경을 선호했습니다. 들루크루아는 이러한 낭만주의 화풍을 가장 잘 보여준 화가입니다.

이 작품의 배경은 프랑스 7월 혁명입니다. 7월 혁명은 1830년 부르봉 왕가를 무너뜨리고 루이 필리프를 국왕으로 맞이한 프랑스 시민혁명입니다. 작품에서 가장 먼저 눈에 띄는 것은 중앙에 위치한 자유의 여신인데, 그녀는 자유(청색), 평등(백색), 박애(적색)를 뜻하는 삼색의 프랑스 국기를 들고 시민들을 이끌고 있습니다, 그림 속 시체들을 넘어 전진하는 시민들의 표정은 민주주의를 되찾으려는 결연한 의지를 보여줍니다. 이 그림은 1931년 살롱전에 출품돼 큰 반향을 일으켰고, 이후 프랑스 시민혁명을 상징하는 대표작으로 자리 잡았습니다.

들라크루아는 자유의 여신을 앞세움으로써 7월 혁명의 의미가 자유의 회복에 있음을 부각했습니다. 7월 혁명에 앞선 프랑스 민주주의의 역사에서 가장 중요한 사건은 1789년에 일어난 프랑스 대혁명인데, 이 프랑스 대혁명을 이끈 정신이 자유·평등·박애였습니다. 이 가운데 자유와 평등은 민주주의를 이루는 양대 가치입니다. 타인 또는 조직의 구속으로부터 벗어날 수 있는 자유, 사회를 구성하는 이들이라면 누구나 인간답게 살 수 있는 평등은 민주주의 사회에서 결코 양도할 수 없는 가치지요

그런데 자유와 평등이라는 권리에는 중요한 사항이 덧붙여집니다. 바로 이런 소중한 권리를 누릴 때에는 당연히 이에 상응하는 책임이 요구된다는 사실입니다. 권리는 당연히 누리되 이에 따른 책임을 자발적으로 감당하려는 태도는 또 하나의 귀중한 '민주주의

마음'입니다. 책임의 다른 이름은 의무입니다. 전 딱딱한 용어인 이 '의무'를 생각하면, 어렸을 때 학교에서 배웠던 국민의 4대 의무가 자동적으로 떠오릅니다. 국방의 의무, 납세의 의무, 교육의 의무, 근로의 의무가 바로 그것이지요. 어릴 때는 이런 의무에 대해서 들으면 고리타분하고 군대가 연상되는 등 강압적으로만 들렸는데 나이가 들수록 이러한 의무가 강제적으로 부여되는 것이라기보다 민주시민으로서 다양한 권리를 누리기 때문에 그에 상응해 자발적으로 실천해야 하는 것으로 인식이 됩니다. 권리만 존재하고 책임이 부재한다면 그 사회는 결국 자신의 이익만을 추구하는 각자도생(各自圖生) 사회가 될 것입니다.

사르다나팔루스의 죽음 (Death of Sardanapalus, 1827)

들라크루아의 또 다른 대표작으로 꼽히는 작품은 '사르다나팔루스의 죽음'(Death of Sardanapalus·1827)입니다. 영국의 낭만주의 시인 바이런이 쓴 시극 '사르다나팔루스'에서 영감을 받아 그린 것으로 알려진 이 작품은 낭만주의 회화에서 또 하나의 걸작으로 평가받습니다. 화면 앞에는 흑인 노예가 말을 죽이고, 백인 호위병은 벌거벗은 여인을 찌르는 모습이 그려져 있습니다. 고통스러워하는 사람, 죽어가는 사람, 죽은 사람이 화면을 채우고, 바닥에는 부귀를 상징하는 많은 보석이 널려 있습니다. 캔버스 뒤편에서 침대에 기대 이 참혹한 광경을 우울하게 지켜보는 이는 아시리아의 왕 사르다나팔루스입니다.

멀리는 카라바조와 루벤스의 그림을 상기시키고, 가까이는 이 코너에서 다룬 적이 있는 제리코의 '메두사의 뗏목'을 떠올리게 하는 이 작품에서 들라크루아는 화사한 육체와 존귀한 보석으로 상징되는 욕망이 죽음 앞에서 얼마나 덧없는 것인지를 이국적 배경 속에서 붉고 검은 격정적인 색채로 표현했습니다.

이 그림을 처음 봤을 때 저는 그 감정적인 화려함에 제압되는 기분이었습니다. 그러나 이 작품의 배경 설명을 들은 후에는 더 숨이 막혔습니다. 들라크루아는 사르다나팔루스가 큰 장작불 위에 놓인 침대에 누워서 노예와 호위병들에게 그의 처첩들과 개와 말 등 동물들까지 모두 죽이라고 명령했다고 하는 설명을 덧붙였습니다. 자신의 쾌락을 위해 존재하던 모든 것을 죽음과 함께 끝내려고 한 것이지요.

이런 설명을 들으며 보니 들라크루아의 이 그림은, 책임감 없는 권력자가 얼마나 무서운 일을 저지를 수 있는지에 대한 경고로도 보였습니다. 그리고 이렇게 보는 순간 제 머릿속에는 우리 사회를 충격에 빠뜨리지만 잊을만하면 새롭게 보도되는, 가장에 의한 일가족 살해 사건을 떠올랐습니다. 책임감이란 자신에 대한 건강한 자의식과 타인에 대한 이타적 애정을 가진 성숙한 이들만이 가질 수 있는 위대한 감정입니다. 자신의 책임을 망각한 채 마치 동물과 같은 본능으로 자기가 하고 싶은 대로 휘두르는 폭군 아래서 개인의 자유와 평등이 실현되는 건강한 공동체가 유지될 수 없음은 자명한 사실이겠지요.

흥미로운 것은 이러한 작품을 남겼음에도 정작 들라크루아는 단정하고 세련되며 애국적인 사람이었다고 합니다. 그는 '민중을 이끄는 자유의 여신'과 '사르다나팔루스의 죽음'에서 볼 수 있는 민주주의와 폭력이라는 서로 다른 두 세계를 보여줌으로써 인간과 사회에 대한 넓고 깊은 이해를 모색하려고 한 화가가 바로 들라크루아인 셈입니다.

선거의 시간입니다. 소중한 것은 그것을 귀히 여기고 지킬 때 소중한 것으로 남는다는 생각이 듭니다. 상담사인 제가 민주주의를 지키기 위한 대단한 일을 할 순 없겠지만, 나와 내가 사랑하는 이들의 삶에 기본이 되는 자유와 평등의 가치를 지키기 위해서라도 투표라는 책임을 다해야겠다는 생각이 듭니다.

심리 갤러리

11. 장 프랑수아 밀레 : '만종', '씨 뿌리는 사람'

만종 (The Angelus, 1857-1859)

저는 1970년대 초반 서울 강북구에 있는 수유리에서 태어났습니다. 집 바로 앞에는 화계사가 있었고, 인수봉이 바라보이는 북한산 자락이 펼쳐져 있었습니다. 저는 서울에서 태어난 도시 아이였음에도 시골 같은 수유리에서 어린 시절을 보내는 행운을 누렸습니다. 그 시절에는 자연이 얼마나 좋은지 잘 몰랐습니다. 나이가 들어 상담학을 공부하면서 자연은 우리 인간에게 가장 중요한 치유의 경험을 선사한다는 것을 깨닫게 됐습니다.

푸른 하늘, 시원한 바람, 초록색 대지, 울창한 나무, 향기로운 숲, 그 속에서 자유롭게 살아가는 새와 동물은 우리 인간에게 건강한 치유 효과를 안겨줍니다. 인간은 누구나 살아가면서 크고 작은 마음의 상처를 갖게 되는데, 상처의 적지 않은 부분은 인간관계에서 비롯됩니다. 인간관계는 한편으로 삶을 풍요롭게 하지만, 다른 한편으로는 마음을 지치게 합니다. 그런데 자연은 바로 이 지친 삶에 큰 위안을 선물합니다.

서양화에서 자연을 생각하면 제게 가장 먼저 떠오르는 화가는 세 사람입니다. 영국의 존 콘스터블, 독일의 카스파 프리드리히, 그리고 프랑스의 장 프랑수아 밀레(1814~1875)입니다. '건초 마차'로 유명한 콘스터블이 소박한 전원 정경을 있는 그대로 담아 근대 풍경화의 새로운 영역을 열었다면, '빙해' 같은 걸작들을 남긴 프리드리히는 웅장하고 고독한 자연에 정신적 의미를 부여한 낭만주의 풍경화의 절정을 보여줬습니다.

밀레는 콘스터블과 프리드리히보다 더 널리 알려진 화가입니다. 그 까닭은 '만종' '이삭줍기'와 같은 그의 작품들이 레오나르도 다빈치의 '모나리자', 렘브란트의 '야간 순찰', 고흐의 '별이 빛나는 밤', 피카소의 '게르니카' 등과 함께 대중들에게 가장 사랑받은 작품이기 때문입니다. 특히 '만종' 복제본은 우리나라에서 오래전부터 식당, 미장원, 이발관 등지에서 쉽게 볼 수 있을 정도로 큰 인기를 끌었습니다.

심리 갤러리

밀레는 흔히 '바르비종파'로 알려져 있습니다. 일군의 프랑스 화가들은 1830년대부터 파리 교외 퐁텐블로 숲 가에 있는 작은 마을 바르비종에 모여 살면서 그림을 그렸는데, 이 마을의 이름을 따서 이들을 바르비종파라고 부르게 됐습니다. 루소, 코로, 도비니 등은 밀레와 함께 바르비종파를 대표하는 화가들이었습니다. 17세기 네덜란드 풍경화와 19세기 전반 영국 풍경화로부터 영향을 받은 바르비종파는 빛과 대지의 연구를 통한 자연의 재현에 주력했는데, 후에 빛의 효과를 탐구한 인상파에 상당한 영향을 미치기도 했습니다.

오늘 살펴보려고 하는 '만종'(The Angelus, 1857~1859)은 밀레의 대표작이자 바르비종파의 대표작입니다. 해 저무는 들판에서 한 젊은 부부가 기도를 올리는 장면을 담은 작품입니다. 원래의 제목은 '삼종기도'인데, 우리나라에서는 저녁때 울리는 '늦은 종'이라는 의미의 '만종(晩鐘)'으로 불립니다. 삼종기도는 가톨릭에서 하루 세 번 일과를 잠시 멈추고 기도를 드리는 것을 말합니다.

'만종'이 갖는 아우라는 경건한 자연과 독실한 신앙의 재현에 있습니다. 황혼이 내리기 시작한 벌판은 무척 평화롭고 경건해 보이고, 하루의 고된 노동이 끝난 다음 삼종기도를 올리는 부부의 신앙은 아주 순수하고 독실해 보입니다. 평범한 전원 풍경을 그린 작품인데도 '만종'이 유명해진 이유는 이러한 풍경에 밀레가 기독교 신앙을 불어넣었다는 데 있습니다. 그래서 이 그림 앞에 서면 아름답고 평화로운 자연에 대한 친밀감과 소박하고 순결한 신앙심을 동시에 느끼게 되지요.

그런데 이 '만종'과 관련해 큰 화제를 남긴 사람이 한 명 더 있습니다. 바로 초현실주의 화가 살바도르 달리입니다. 달리는 어릴 적부터 '만종' 복제본을 보고 이를 정신분석학적으로 해석하려 시도했다고 합니다. 그는 여자의 발 주위에 있는 바구니가 원래 아이가 들어 있는 관을 그린 것이고, 부부가 이를 슬퍼하는 장면을 그린 것이라고 주장했습니다. 또 마주한 부부가 근친상간 충동을 가진 어머니와 아들의 관계라는 기상천외한 견해를 내놓기도 했습니다.

예술가가 작품을 완성하면 그것을 어떻게 해석할지는 관람객의 자유입니다. 저는 달리의 주장이 기발하긴 하지만 '만종'이 갖는 아우라를 생각할 때 그의 해석이 지나치게 주관적이라고 생각합니다. '만종'이 많은 이에게 감동을 안겨준 까닭은 이 작품이 주는 깊은 마음속 울림에 있다고 생각하기 때문입니다. '만종'은 풍경화인 동시에 종교화이고, 리얼리즘 회화인 동시에 낭만주의 회화입니다. 어느 하나로만 규정지을 수 없는 여러 의미를 품고 많은 이들에게 복수의 감동을 안겨주는 작품이 바로 '만종'입니다.

밀레는 '만종'을 그린 이유가 어릴 적 할머니에 대한 기억에 있다고 말했습니다. 그는 삼종기도 종소리가 들리면 하던 일을 중단하고 죽은 사람을 위해 기도하라는 할머니 말을 생각하면서 '만종'을 그렸다고 합니다. 배경에 펼쳐진 들판은 아직 환한데 기도를 드리는 부부 주변에는 이미 어둠이 내리고 있습니다. 낮과 밤이 공존하는 이 작품은 자연의 평화로움, 인간의 유한성, 삶의 소박함, 신앙의 경건함을 모두 느끼게 해줍니다.

심리 갤러리

씨 뿌리는 사람 (The Sower, 1850)

　자연의 모습을 드러내는 밀레의 또 다른 그림은 '씨 뿌리는 사
람'(The Sower, 1850)입니다. 이 작품은 발표 당시 비평가들로부
터 상반된 평가를 받았습니다. 진보적 비평가들은 농부의 고단한

노동을 클로즈업해 표현한 것을 높이 평가한 반면, 보수적 비평가들은 평화로운 전원의 풍경이 아닌 거친 농부의 모습에 불편함을 느꼈습니다. 빈센트 반 고흐가 모사할 정도로 큰 영감을 안겨준 이 작품은 힘든 노동을 역동적으로 담아냄으로써 일하는 농부를 대지에 맞서는 영웅처럼 표현했습니다.

씨를 뿌리고 가꾸고 거두는 일은 고된 작업입니다. 게다가 자연이 언제나 온화한 것도 아닙니다. 관찰자의 관점에서 바라보는 자연은 아름답고 경이롭지만, 주체의 관점에서 살아내야 하는 자연은 때때로 무섭고 두렵습니다. 홍수, 가뭄, 한파 등은 시골에서 살아가는 이들에게 큰 시련을 안겨줍니다.

저는 오늘날 현대 문명이 주는 정신적 스트레스에 대응하는 인간의 능력은 이미 한계에 도달했다고 생각합니다. 심리 상담과 정신의학적 약물이 우울증으로 인한 자살률의 하락과 정신 건강의 회복에 중요한 구실을 해온 게 사실이지만, 그 불안과 우울을 포함한 현대인의 정신적 상처 및 질병을 근본적으로 치유해줄 수는 없다는 것이 정직한 고백일 것입니다.

인간과 인간의 관계는 갈수록 메말라가고, 약육강식과 적자생존은 사회생활의 기본 코드를 이룹니다. 저는 이런 경쟁적이고 소모적이고 삭막한 현실에서 인간에게 참다운 치유 효과를 줄 수 있는 것은 바로 태고의 순수인 자연 뿐이라고 생각합니다. 많은 현대인이 자연 속에서 사는 방식을 선택하는 것은 인간 본래의 모습, 다시 말해 태초적 건강성을 되찾고 싶어서일 것입니다. 농사를 짓는 데는 상당한 수고와 불편함이 따르고 항상 성공적이지는 않다는 사실을 알지만, 자연과 더불어 살아가는 삶에서 적지 않은 사람이 새로운 위안과 기쁨, 그리고 치유를 얻는 것은 분명해 보입니다.

밀레는 산업화에 밀려 점점 사라져가는 농촌의 일상을 따뜻한 시선으로 화폭에 담았습니다. 밀레가 작품 활동을 한 시기는 그의 그림과는 대비되는 상황이었습니다. 자본주의가 급속도로 진행되는 가운데 7월 혁명(1830년), 2월 혁명(1848년)이 일어나고 파리코뮌(1871년)이 등장한 정치적 대격변기였습니다. 그러나 밀레는 이런 살벌한 현실에 대응해 도리어 자연으로의 귀환과 소박한 생활의 예찬이라는 대안적 삶의 방식을 추구한 셈이었습니다.

이러한 밀레 식의 대안은 적극적인 대안이 아니라 방어적인 대안입니다. 현대 문명의 도도한 물결은 거역하기 어려운 것이니까요. 회화의 역사를 돌아봐도 바르비종파는 인상파로 대체되고, 도시 문명의 경쾌함과 화려함을 담은 작품이 많이 나타났습니다. 말년에 밀레는 비평가와 대중 모두에게 따뜻한 평가를 받았지만, 동시에 회고주의적 취향으로 취급되기도 하였습니다.

그러나 저는 세상의 모든 것을 상품화하고 초고속화하는 현대 자본주의 문명 속에서 밀레의 작품은 앞으로도 끊임없이 사랑을 받을 것이라고 확신합니다. 밀레의 그림은 문명에 지쳐 쉼을 갈구하는 현대인에게 자연이라는 벗을 통해 깊은 위안과 평화를 주기 때문입니다.

올해 오르세 미술관을 방문했을 때 저는 여러 작품 중에서도 밀레의 그림 앞에 오랫동안 서 있었습니다. 그의 그림에서는 흙냄새가 나는 것도 같았고, 제가 실제로 석양 아래 서 있는 것 같은 느낌도 들었습니다. 인간은 자연과 하나입니다. 푸른 하늘, 시원한 바람, 초록색 대지, 울창한 나무, 향기로운 숲, 그 속에서 자유롭게 살아가는 새와 동물과 풀과 꽃들 그 모든 것이 우리의 근원입니다. 고요하지만 생동적이고, 소박하지만 강한 밀레의 그림에서 저는 힘을 얻었습니다.

12. 클로드 모네 : '양산을 든 여인', '카미유의 임종'

양산을 든 여인 (Woman with a Parasol, 1875)

어릴 적부터 귀에 못이 박히도록 듣던 성경 말씀은 '믿음, 소망, 사랑 가운데 으뜸은 사랑'이라는, 사도 바울이 고린도 교회에 보내는 편지 내용입니다. 저는 이 말씀을 들으면서 하나님께서 언제, 어디서나, 내가 어떤 곤경에 처해 있어도 나를 무한히 사랑하신다는 사실에 행복함을 느꼈습니다. 하지만 다른 한편으로는 하나님과 이웃을 많이 사랑하지 못하는 제 자신에 대해 죄책감을 갖곤 했습니다. 사랑이란 말은 이렇듯 제게 가장 중요하지만 동시에 어려운 단어가 됐습니다.

그러나 나이를 먹어가면서 깨달은 것이 굉장히 희생적이거나 놀랄 만큼 선한 행동을 해야만 누군가를 사랑하는 건 아니라는 것이었습니다. 그 대상이 함께 있기 다소 지겹거나 힘겨울 때도 함께 있어 주고 곁을 지켜주는 것도 사랑임을 알게 되었습니다. 관념 속 사랑도 숭고하지만 지금 내 곁에 있는 이들을 위해 따뜻한 밥을 한 번 더 준비하는 등의 일상적 사랑이 더 가치 있다고 느껴지기도 했습니다.

많은 이들이 사랑하는 가족의 존재를 가장 중요하게 여기지요. 이런 점에서 여러 화가들이 가족 사랑을 작품 주제로 삼았다는 사실은 당연한 것으로 느껴집니다. 어떤 화가는 아내 사랑을, 어떤 화가는 자식 사랑을, 또 어떤 화가는 부모 사랑을 화폭에 담았습니다. 이러한 작품들 가운데 특히 제 마음을 두드린 그림이 인상파를 대표하는 프랑스 화가 클로드 모네(Claude Monet·1840~1926)의 '양산을 든 여인'(Woman with a Parasol, 1875)입니다.

환하게 빛나는 햇살을 맞으며 한 여인과 한 아이가 싱그러운 자연 속을 산책하고 있습니다. 녹색 벌판 위에 핀 노란 꽃과 파란 하늘을 배경으로 춤추는 듯한 구름은 사랑스러운 엄마와 아들의 모습과 잘 어우러집니다. 빛이 만들어 내는 자신의 생생함을 감각적으로 재현한 그림을 보고 있자면 모네가 왜 인상파를 대표하는 화가인지 다시 한번 느끼게 됩니다.

모네는 많은 작품을 야외에서 그렸습니다. 시시각각 변하는 빛은 풍경이든 사람이든 새로운 생명을 부여합니다. '양산을 든 여인'을 자세히 보면 모네는 자연의 모습과 사람의 표정을 정밀하게 재현하지 않았습니다. 빠르고 다소 거친 붓의 터치를 대번에 느낄 수 있습니다. 그가 관심을 둔 것은 순간의 포착입니다. 빛이 만들어 낸 자연의 아름다움과 인물의 생동감이라는 효과에 주목한 것이지요.

이러한 감상에 더해, 모네가 화폭에 담은 이들이 아내 카미유와 아들 장이라는 사실을 알게 되면 이 작품의 사랑스러움은 한층 배가됩니다. 무명 화가에 가깝던 모네는 집안의 극심한 반대를 무릅쓰고 모델 카미유 동시외와 결혼했고, 카미유는 아들 장을 낳았습니다. 당시 모네에겐 이 두 사람이 세상에서 가장 소중한 존재였겠지요. 그래서인지 작품에는 환한 사랑과 따뜻한 평화가 넘쳐흐르는 듯합니다.

아내는 녹색 양산을 든 채, 아이는 다소 긴장한 듯한 자세로 그림에 몰두하는 남편이자 아버지를 바라보는 모습에서 모네는 어떤 느낌이 들었을까요. 순간의 장면 속에 있는 사랑하는 가족을 영원의 풍경으로 잡아두기 위해 그는 서둘러 빠르게 붓질하고 있는 젊은 아빠의 모습이 그려집니다.

이 작품을 그릴 때 모네는 아르장퇴유에서 활동했던 가난한 화가였습니다. 비록 사람들이 알아주지 않았지만 자기만의 화풍에 몰두할 때였죠. 지금은 세계적으로 가장 유명한 작품 중의 하나가 되었지만 사실 이 '양산을 든 여인'은 가난한 젊은 화가가 사랑하는 젊은 아내와 어린아이와 함께 지낸 평범한 하루 일상이었던 것입니다.

'인상파'란 이름은 '양산을 든 여인'에 앞서 그린 '인상, 해돋이'(Impression : Sunrise, 1873)라는 작품에서 비롯됐습니다. 모네는 이 작품을 1874년 국가가 주도하는 살롱전에 맞서 개최된 '앙데팡당전'에 출품했습니다. 이때 한 평론가가 '인상, 해돋이'가 붓질을 마구 한 스케치에 불과하고 인상적이라는, 조롱에 가까운 비판을 함으로써 전시회에 참여한 모네와 그의 동료들인 오귀스트 르누아르, 에드가 드가 등은 '인상파'라는 이름을 얻게 됐습니다. 전시회는 실패했지만 모네는 이에 굴하지 않고 빛의 효과와 색채의 감각을 화폭에 담아내려 했습니다. 빛이 만들어 내는 시시각각의 변화를 주목했을 뿐만 아니라 그 효과가 담긴 밝은 색채를 빠른 붓질로 재현하려고 했습니다. 그가 중시한 것은 이성이 아니라 감각이고, 그가 표현한 것은 이성의 구속에서 벗어난 감각의 해방이었던 것이지요. 이렇게 자기만의 예술을 추구했던 모네는 비록 경제적으로는 곤궁했지만 '양산을 든 여인'과 같은 밝고 사랑스러운 작품을 완성할 수 있었습니다. 이 작품에 담긴 경쾌한 화사함은 인상파에 앞선 시대를 장식한 자크 루이 다비드의 신고전주의적 엄격함, 외젠 들라크루아의 낭만주의적 화려함과는 분명히 다른 새로운 근대적 감각입니다.

현대인이 인상파 화가들의 작품을 유독 좋아하는 까닭도 여기에 있는 듯합니다. 빛과 색채의 새로운 감각을 기반으로 해 자연과 사람을 자유롭게 재현하려는 인상파 화가들의 작품에 현대인들은 깊이 공감합니다. 미적 공감과 정서적 편안함을 동시에 선사하기 때문입니다. 저 역시 '양산을 든 여인'을 무척 좋아합니다. 대부분의 엄마들이 그러하듯이 저 역시 제 인생 속에서 가장 행복한 순간들을 꼽아보라고 누군가 물어본다면 햇빛이 따듯했던 어느 날 제 아이와 함께 보낸 그 어떤 순간을 선택하고 싶어질 것입니다. 빛이 쏟아지는 공간에서 함께 웃고, 함께 이야기했던 추억들을 떠올리는 것만으로도 마음에 행복이 퍼집니다.

그렇지만 모네의 사랑이 완벽한 것은 아니었습니다. 모네는 두 번 결혼했습니다. 그것도 첫 번째 아내 카미유가 살아 있을 때 유부녀인 알리스 오슈데와 사랑에 빠졌습니다. 젊은 날 그들의 사랑이 얼마나 아름다웠는지 그림 속에서 저렇게 생생하게 증명되는데 어떻게 이런 선택을 했을까 생각하면 사실 다소 충격적이고 실망스러운 마음이 드는 것이 사실입니다.

이들의 관계는 굉장히 특별했습니다. 새로운 여인이 생겼음에도 불구하고 모네는 아픈 카미유를 끝까지 돌보았습니다. 새로운 모네의 여인 오슈데 역시 병든 카미유를 돌봤고, 카미유가 사망한 후에야 둘은 정식으로 결혼하였습니다. 모네의 이런 행동에 대해서는 다양한 해석과 비판이 있습니다. 배신자라는 낙인을 찍으며 모네의 행동을 비판하는 이들도 있고, 아픈 카미유를 끝까지 지키려고 한 모네를 이해하는 이들도 있습니다. 이들의 간호를 받는 카미유는 어떤 기분이었을까요? 그녀는 그를 떠나고 싶었을까요, 떠나고 싶지 않았을까요. 저는 감히 상상이 되지도 않습니다.

카미유의 임종 (Camille on her Deathbed, 1879)

'카미유의 임종'(Camille on her Deathbed, 1879)은 카미유의 죽음을 그린 작품입니다. 아침 햇빛이 방 안을 비출 때의 순간입니다. 막 세상을 떠난 카미유의 가슴에 꽃다발이 놓여 있습니다. 카미유는 눈을 감고 오른쪽으로 고개를 약간 돌린 채 깊은 잠에 빠진 듯한 모습입니다. 화폭 전체에서 느낄 수 있는 거친 붓질은 사랑하는 여인의 죽음에 대한 안타까움과 탄식을 담고 있는 것처럼 느껴집니다.

삶과 죽음의 경계에 선 카미유를 작품에 담으면서 모네는 어떤 생각을 했을까요. 이 작품에서조차 모네는 빛의 효과를 캔버스에 담으려 했습니다. 사랑하는 이와의 슬픈 이별 과정에서도 모네는 직업으로서 화가의 자세를 벗어나지 못한 것으로 보입니다. 하지만 작품 전체를 감싸는 분위기는 깊은 슬픔 그 자체입니다. 꺼질 수밖에 없는 불꽃을 안간힘을 다해 되살리고 싶은 모네의 마음이 보입니다. 제가 주목하는 것은 죽음과 만나고 있음에도 불구하고 매우 평화로운 표정을 짓고 있는 카미유입니다. 죽음의 공포 속에서도 모네가 끝까지 자신의 곁을 지킬 것을 아는 카미유는 안심하고 자신의 삶을 내려놓을 수 있었던 것일까요? 어렵습니다.

가족이란 어떤 존재일까요. 그리고 어떻게 사는 것이 행복한 인생일까요. 상담학을 공부해 온 저는 이에 대한 답변으로 미국 하버드대에서 진행된 연구 하나를 소개하고 싶습니다. 이 연구는 75년간 724명의 인생을 추적한 성인발달연구 프로젝트입니다. 이 프로젝트의 가장 중요한 교훈은 가족·친구·공동체와의 사회적 연결이 긴밀하면 긴밀할수록 더 행복하고 건강하며 오래 사는 것으로 나타났다는 데 있습니다. 신뢰하고 친밀한 관계가 있는 이들은 몸뿐만 아니라 뇌도 더 건강하게 행복한 노후를 보낸다는 것입니다. 함께 있는 것이 힘들 때도 많지만 사랑하는 가족과 웃고 울며 지지고 볶으며 다투고 화해해 가는 과정이 무엇보다도 소중한 것이라는 사실을 다시 한번 느끼게 해주는 결과입니다. 모네의 '양산을 든 여인'과 '카미유의 임종'을 보며 가족 사이의 애증에 대해서, 중요성에 대해서 다시 한번 생각해 보게 됩니다. 가장 소중하고, 제일 어려운 주제입니다.

13. 빈센트 반 고흐 : '꽃핀 아몬드 나무', '성경이 있는 정물'

꽃핀 아몬드나무 (Almond Blossom, 1890)

사랑에 대한 이야기를 조금 더 해보고자 합니다. 우리 인간이 갖는 감정 가운데 가장 복잡 미묘한 감정이니까요. 사랑하면 먼저 떠올리는 것은 일반적으로 연인 간의 사랑과 가족 간의 사랑입니다.

사랑의 대명사라 할 수 있는 이 두 사랑은 사뭇 다릅니다. 연인 간 사랑이 격정적이라면, 가족 간 사랑은 은근합니다. 연인 간 사랑은 이별로 끝나는 경우가 많지만, 가족 간 사랑은 여간해선 끊어

지지 않습니다. 이 두 사랑에 공통점이 없는 것은 아닙니다. 사랑의 본질 중 하나가 애증 병존(ambivalence)인데, 연인 간 사랑이나 가족 간 사랑 모두 애정과 증오가 뒤엉킨 애증 병존에서 자유롭지 못합니다. 사랑의 감정은 개인이 꼭꼭 숨겨놓은 심리 내부 무의식 어딘가를 강하게 터치하기 때문입니다.

그러니 화가들이 즐겨 그리는 주제 가운데 하나가 이 사랑이라는 사실은 어쩌면 당연한 것이겠지요. 화가들은 말로 전달하기 어려운 사랑을, 한없는 기쁨과 절망을 안겨주는 그 사랑의 마음을 화폭에 담으려 했습니다. 인간의 느낌과 생각은 언어로 전해지지만, 언어가 늘 최상의 수단은 아닙니다. 화가들은 언어 대신 이미지를 통해 자신의 느낌과 생각을 전달하지요. 사랑이라는 느낌과 생각은, 그것이 말로 전달하기 쉽지 않다는 점에서 때로는 그림과 같은 미술을 통해 전달하는 게 더 효과적일 수 있습니다. 모네의 작품을 보며 부부 사랑과 자녀 사랑을 다뤘다면 오늘은 한 화가의 작품을 보며 형제간의 사랑, 아버지에 대한 사랑을 이야기하고 싶습니다. 바로 세상에서 가장 유명한 화가가 되어버린 남자, 빈센트 반 고흐(Vincent van Gogh·1853~1890)의 이야기입니다.

고흐는 세잔, 고갱과 함께 후기인상파로 불립니다. 그는 모네, 르누아르, 피사로, 드가 등으로 대표되는 인상파로부터 영향을 받았지만, 인상파를 넘어서서 자신의 마음과 영혼을 그림으로 표현하고자 했습니다. 그래서인지 그의 그림엔 현대인이 갖는 불안과 그 불안을 넘어서려는 의지가 잘 표현돼 있습니다.

고흐가 어릴 때부터 화가의 길을 선택한 건 아닙니다. 그는 성직자와 화가 사이에서 고민하다 우여곡절 끝에 전업 화가가 됐다고 합니다. 이런 선택에 가장 큰 힘을 준 이는 동생 테오입니다. 네 살 터울의 고흐와 테오는 속 깊은 우애를 나눴는데, 둘의 우애는 두 사람이 주고받은 편지에 잘 담겨 있습니다. 고흐가 테오에게만 소식을 전한 게 아닙니다. 어머니에게도 편지를 썼습니다.

"사실 전 태어난 조카가 아버지 이름을 따르기를 무척 원했답니다. 요즘 아버지 생각을 많이 하거든요. 하지만 이미 제 이름을 땄다고 하니, 그 애를 위한 침실에 걸 수 있는 그림을 그리기 시작했어요. 파란 하늘을 배경으로 하얀 아몬드 꽃이 만발한 커다란 나뭇가지 그림이랍니다. (…) 이제 병원 밖의 세상에 익숙해지려 노력해야겠지요. 어쩌면 제가 다시 자유롭게 지내면서 일이 더 힘겨워질 수도 있겠지만, 희망을 가지려 노력하고 있습니다."

고흐가 정신착란으로 자신의 귀를 자른 후 생레미 정신병원에 입원한 1890년 2월 15일, 어머니에게 쓴 편지의 한 구절입니다. 동생 테오 부부는 아들을 낳자 그 아이에게 형의 이름을 따서 빈센트라는 이름을 붙였습니다. 고흐는 무척 기뻐했습니다. 그 조카를 위해 그린 작품이 바로 '꽃핀 아몬드나무(Almond Blossom, 1890)'입니다. 막 태어난, 자신의 이름을 딴 조카의 침실에 걸 작품이니 고흐는 혼신의 힘을 다해 그렸습니다. 그의 순정한 마음과 세련된 기교가 자연스럽게 녹아 있는 아름다운 작품입니다.

침대에 걸터앉아 어린 조카에게 꽃이 피는 생명의 순수한 기쁨이 무엇인지를 찬찬히 이야기 해주는 삼촌의 정다운 음성이 들리는 듯도 합니다. 정신착란을 앓았던 화가가 그린 것이라고는 전혀 생각할 수 없을 정도로 밝고 따뜻한 느낌이 가득한 작품입니다. 파란 하늘을 배경으로 활짝 꽃핀 아몬드나무는 정신착란이라는 절망 속에서도 사랑스런 조카를 생각하며 희망의 끈을 놓지 않으려는 고흐의 간절한 의지도 보이는 듯합니다.

고흐는 이 작품을 연작으로 그리려 했다고 합니다. 그림을 빨리 그리던 그의 습성을 생각할 때 충분히 가능한 일이었습니다. 하지만 고흐는 이 작품을 완성한 직후 다시 정신착란을 겪었습니다. 그가 건강을 되찾았을 때 아쉽게도 아몬드나무 꽃이 이미 다 져버린 후였고, 연작을 그리지 못한 아쉬움에 '난 참 운이 없다'는 말을 남겼다고 합니다. 테오는 이 작품을 아들 침대 위에 걸어뒀고, 조카가 이 그림에 매료되어 쳐다본다는 소식을 고흐에게 전하기도 했습니다.

고흐는 남동생 테오와 어머니뿐 아니라 여동생과도 친밀한 관계를 유지했습니다.

"내가 가장 불안하게 생각하는 점은 글을 쓰려면 공부를 더 해야 한다는 네 믿음이다. 제발 그러지 말아라, 내 소중한 동생아. 차라리 춤을 배우든지 장교나 서기 혹은 누구든 네 가까이 있는 사람과 사랑을 하렴."

작가가 되려는 여동생 윌에게 큰오빠 고흐가 쓴 편지에 나오는 구절입니다. 동생이 행복해지기를 바라는 오빠의 애틋한 마음이 잘 담겨 있습니다. 유명해지기보다, 평범하더라도 내가 사랑하는 가족이 인간적이고 안정된 행복을 느끼며 살아가기를 소망하는 마음에는 동양과 서양 간에 아무런 차이가 없나 봅니다.

심리 갤러리

그런데 이런 고흐에게 가장 어려운 사람은 아버지였습니다. 개신교 목사이던 아버지는 큰아들 고흐가 자신의 직업을 잇기를 원했습니다. 고흐는 신학교를 다녔지만 결국 화가가 됐고, 이 과정에서 고흐는 아버지와 불화를 겪게 됐습니다. 엄격한 프로테스탄트 목사이던 근엄한 아버지와 자유로운 미술을 사랑하게 된 아들 사이의 갈등은 불가피했었습니다.

아버지와 아들의 관계를 설명할 때 빼놓을 수 없는 심리학 개념은 오이디푸스 콤플렉스(Oedipus complex)이지요. 지그문트 프로이트가 주창한 오이디푸스 콤플렉스는 남성이 부친을 증오하고 모친에 대해 품는 무의식적인 성적 애착을 말합니다. 이 콤플렉스는 3~5세에 나타나고 이후 억압됩니다. '아버지처럼 어머니를 사랑하고 싶다'는 바람은 이제 '아버지와 같이 되고 싶다'는 바람으로 변해 부친과의 동일시가 이뤄지는데, 여기에서 초자아(super-ego)가 형성됩니다.

아버지와 아들의 관계는 이렇듯 무의식적으로 애증이 병존하는 관계입니다. 이 관계가 일차적으로 해소되는 것은 아버지가 이 세상에 부재하게 됐을 때입니다. 고흐에게도 그런 부재가 찾아왔습니다. 1885년 아버지가 갑자기 세상을 떠나자 고흐는 큰 충격을 받았습니다. 아버지의 엄격한 신앙적 태도에 동의하지는 않았지만, 아버지를 미워하기만 한 것은 결코 아니었기 때문입니다. 앞서 인용한 어머니에게 보낸 편지에서 막 태어난 조카가 아버지 이름을 따르기를 무척 바랐다는 구절에서 엿볼 수 있듯, 고흐는 아버지를 마음속 깊이 그리워하고 존경했던 것으로 보입니다.

성경이 있는 정물 (Still Life with Bible, 1885)

이런 아버지와의 관계를 선명히 보여주는 작품이 아버지가 세상을 떠나고 한 달 뒤에 그린 '성경이 있는 정물(Still Life with Bible, 1885)'입니다. 평범해 보이는 듯한 이 작품에는 세 개의 사물이 놓여 있습니다. 펼쳐진 성경과 그 앞의 작은 책, 그리고 꺼진 양초입니다. 여러 평론가들이 성경은 아버지를 상징하는 것으로, 꺼진 양초는 아버지의 죽음을 암시하는 것으로 해석을 했습니다. 흥미로운 것은 성경 앞에 놓인 책인데, 그것은 작가 에밀 졸라의 '삶의 기쁨'이란 소설입니다. 고흐는 당시 젊은 세대의 생각과 감성을 대표하던 졸라를 좋아했습니다.

이 그림은 정직합니다. 성경으로 상징되는 아버지에 대한 그리움이 크지만, 그렇다고 졸라로 상징되는 자신의 삶도 포기할 수는 없습니다. 이 점에서 이 그림은 고흐가 품었던 아버지에 대한 존경과 그리움을 나타내지만, 또 한편으로는 자신의 삶을 강요하는 아버지와 다투고 미워할 수밖에 없었던 일종의 오이디푸스 콤플렉스를 보여주는 작품으로 해석할 수도 있습니다. 이 작품은 네덜란드 암스테르담에 있는 반 고흐 미술관에 소장돼 있습니다.

'성경이 있는 정물'을 보면서 저는 최근 발표된 한 조사를 떠올렸습니다. 한 일간지에 따르면, 2008년부터 2015년까지 소셜미디어(블로그)에 올라온 7억여 건의 문서를 분석한 결과 '엄마(어머니)'가 '무섭다'는 말의 연관 단어 순위 1위를 차지한 것에 비해 '아빠(아버지)'는 '친구', '오빠', '언니' 등에 이어 11위에 올랐다고 합니다. 현대 사회에서 아버지는 더 이상 엄격한 존재가 아니라 친구 같은 존재인 경우가 더 많다는 것이지요. 주위를 둘러보면 맞는 이야기인 것 같습니다. 대다수 가정에서 아이들이 아버지와 함께하는 시간이 적은 현실을 생각할 때, 친구 같은 아버지는 아이들에게는 선물 같은 존재입니다. "전 우리 아버지를 사랑하고 존경하지만 같이 있으면 편하지 않아요"라는 말은 상담사인 제가 수없이 들은 말입니다. 그러나 "나는 우리 아버지를 존경하고 또 그와 함께 있으면 너무 편하고 즐거워요"라고 말하는 이들도 많이 만났습니다. 그들은 친구 같은 아버지와 많은 대화와 놀이를 하면서 아버지의 경험, 이상, 가치관을 내면화합니다. 아버지와 깊이 마음을 주고받는 이들은 이 세상을 살아나갈 배짱과 이상을 소유하게 됩니다. 아버지와 영원히 함께할 수는 없겠지만, 어릴 적 아버지에 대한 품은 소중한 기억과 추억은 나중에 아버지가 부재할 때에도 늘 삶의 어려움을 헤쳐 나갈 힘과 용기가 될 수 있습니다.

재밌는 사실이 있습니다. '꽃핀 아몬드나무'의 주인공인 조카 빈센트 빌렘 반 고흐는 고흐에게 영원히 가장 중요한 사람이 됐다는 사실이 그것입니다. 고흐가 생을 마감한 후 안타깝게도 동생 테오도 곧 죽었고, 고흐가 남긴 작품은 테오 아내의 소유가 됐습니다. 그리고 그녀마저 죽자 조카 빈센트 빌렘이 고흐의 작품들을 관리하게 되었습니다. 화가가 유명해지려면 작품 자체도 탁월해야 하지만, 관리도 중요합니다. 조카 빈센트 빌렘은 이 분야에서 탁월한 능력을 발휘합니다. 고흐 재단을 세워 효율적으로 운영함으로써 고흐가 서양 현대미술을 대표하는 화가의 한 사람으로 재평가되는 데 크게 기여한 것이지요. 또한 암스테르담에 있는 반 고흐 미술관을 건립하는 데도 주도적인 구실을 했습니다. 갓 태어난 조카에 대한 삼촌의 애틋하고도 무조건적 사랑이 시간이 한참 지난 후에 훗날 이렇게 큰 열매로 맺힌 것이지요. 그의 그림 속 아몬드 나무처럼 말입니다.

'꽃핀 아몬드나무'는 반 고흐 미술관을 대표하는 작품의 하나입니다. 빈센트 빌렘은 삼촌이 자신에게 선물로 준 이 작품을 평생 간직했다고 합니다. 이 작품을 보고 또 보면서 빈센트 빌렘은 서양 회화의 역사에서 가장 경이롭고 치열했던 화가인 삼촌 고흐에 대해 어떤 생각을 했을까요. 삼촌과 조카가 침묵으로 나눴을 그 대화는 안타까우면서도 애틋하고 또 즐겁지 않았을까요. 사랑의 위대함은 시공간까지도 초월한다는 것은 진실인가 봅니다.

제 3 부
현대 회화

14. 에드바르트 뭉크 : '절규', '담배를 든 자화상'

절규 (The Scream, 1893)

요즘 우리 사회에서 가장 많은 이들이 힘들어하는 심리 주제를 하나만 꼽으라면 저는 '불안'을 꼽습니다. 25년 전 제가 심리학을 처음 공부할 때만 해도 외로움, 우울, 상실 등의 단어가 더 마음에 닿았었는데 언제부터 사회 전반에서 불안으로 인한 증상이 폭발적으로 증가했습니다. 어느 날 TV 속 연예인들 몇 명이 공황장애가 있다고 고백하는 것을 들었는데, 이제 공황장애는 주변의 많은 이들이 호소하는 질병이 되었습니다. 강박장애, 외상 후 스트레스 장애, 범불안장애, 각종 공포증 등은 모두 불안 감정을 기저로 한 심리적 병입니다.

각종 매체를 통해 많은 이들이 우리 사회에 대해서 비난하고 비판합니다. 사회를 비판하는 신조어도 끝없이 양산되고 있습니다. 물론 정당한 비평은 중요합니다. 하지만 저는 쏟아지는 비판이나 신조어를 듣고 있자면, 미움과 분노보다 그 밑에 깔린 불안과 공포를 느낄 때가 많습니다. 불안이 쌓이면 두려움이 되고, 두려움이 커지면 공포가 되는 법입니다. 우리 사회 현실을 돌아보면 언제부턴가 불안이라는 감정이 국민 다수의 삶을 짓누릅니다. 청소년들은 좋은 대학에 가지 못할지도 모른다는 불안, 청년들은 취직을 할 수 없을지 모른다는 불안, 중장년 세대는 직장에서 쫓겨날지도 모른다는 불안, 그리고 노인들은 불행한 노후를 보낼지도 모른다는 불안을 가진 게 우리 사회의 민낯입니다.

이러한 불안은 객관적인 자료로도 입증됩니다. 경제협력개발기구(OECD)에 속한 나라들 가운데 최고 수준의 자살률과 노인빈곤율이 대표적인 증거입니다. 제가 우리 사회의 문제 중에서 가장 마음 아픈 것은 높은 비율의 청소년 자살과 노인 빈곤입니다. 희망을 품고 앞으로 펼쳐질 인생을 설계해야 할 청소년들이 비극적인 선택으로 삶을 마감하고, 젊은 시절 열심히 산 대가로 편안한 노후를 보내야 할 노인들이 인간다운 삶을 누리지 못하는 경제적 빈곤에 처했습니다. 인정하고 싶지 않지만 이렇듯 각종 불안감과 무관심이 짙게 깔린 상태가 우리 사회의 자화상인 것입니다.

이러한 불안과 공포를 생각하면 가장 먼저 떠오르는 작품은 단연 에드바르트 뭉크(Edward Munch·1863~1944)의 '절규(The Scream, 1893)'입니다. 미술을 잘 모르는 이들에게도 널리 알려진 작품이지요.

뭉크는 유럽 미술의 변방이라 할 수 있는 스칸디나비아반도 노르웨이에서 태어난 화가입니다. 19세기 후반과 20세기 전반에 활동한 그는 뛰어난 천재성을 지녔지만 참으로 슬픈 유년 시절을 보낸 사람입니다. 뭉크의 아버지는 매우 이상하면서도 우울한 성격의 소유자였고, 다섯 살 때는 어머니의 죽음을 겪어야 했습니다. 한창 사랑을 받아야 할 시기에 어머니와 영원한 이별을 했는데 성장기 동안에는 누나의 죽음까지 바라보아야 했습니다. 그리고 결국 여동생도 잃었습니다.

트라우마가 많은 그의 삶 때문이었을까요? 그의 작품에는 우울하고 불안한, 때로는 공포스러운 분위기가 흐릅니다. 그러나 신기하게도 인간의 어두운 내면을 날카롭게 묘사한 그의 어두운 작품들이 20세기 현대 회화, 특히 독일 표현주의에 큰 영향을 미쳤을 뿐 아니라 현대를 살아가는 우리에게까지 큰 공감을 불러일으킵니다.

"친구 둘과 산책을 나갔다. 해가 지기 시작했고 갑자기 하늘이

핏빛으로 물들었다. 나는 피로를 느껴 멈춰 서서 난간에 기댔다. 핏빛과 불의 혓바닥이 검푸른 협만과 도시를 뒤덮고 있었다. 친구들은 계속 걸었지만 나는 두려움에 떨며 서 있었다. 그때 나는 자연을 관통하는 끝없는 절규를 들었다."

1892년 뭉크가 일기에 쓴 한 구절입니다. '절규'의 모티프가 되었음을 알 수 있는 내용입니다. 해가 막 지는데 하늘에 걸린 구름이 붉은빛으로 너울거리며, 검푸른 대지와 바다 역시 크게 요동칩니다. 창백한 얼굴의 주인공은 두 손을 귀에 댄 채 공포에 질려 떨고 있습니다. 떨어져 걷는 두 친구의 무심한 듯한 모습이 불안과 공포의 느낌을 더욱 배가합니다.

뭉크는 공황장애를 앓았다고 전해집니다. '절규'는 그러한 그의 고통과 공포를 표현한 셈이지요. 공황장애는 예고 없이 발생하는 매우 심한 상태의 불안장애입니다. 패닉(panic) 상태라 불리는 이 질병은 극심한 공포를 느끼게 해 죽거나 미치거나 자제력을 잃을 것 같은 상태에 이르게 합니다. 공황장애의 밑바닥에 있는 감정은 불안과 두려움입니다. 공황장애까지는 아니더라도 너무나 빠르고 복잡다단한 삶을 사는 현대인은 때때로 공황에 가까운 불안과 공포를 느낍니다. 많은 이가 기괴한 느낌을 주는 뭉크의 작품 '절규'에 공감하는 이유가 바로 여기에 있다고 봅니다. 의지가 아무리 굳은 사람이라 하더라도 인간은 누구나 불현듯 자신의 삶이 두렵고 공포스럽게 느껴질 수 있는데, 뭉크의 절규에서 우리 자신의 모습을 만나게 되는 것이겠지요.

불편한 분들이 계시겠지만 우울한 개념을 하나 이야기하겠습니다.

이른바 '수저론'은 최근 우리 사회의 불안과 공포를 드러내는 표현입니다. 수저론은 사회 계층이나 신분에 대한 일종의 풍자라고 볼 수 있는데, 인터넷에 떠도는 담론에 따르면, 우리 사회에는 네 계층이 존재한다고 합니다. 금수저 · 은수저 · 동수저 · 흙수저가 그것입니다. 비유 자체를 생각하면 다소 우습기도 한 비유인데 우리가 웃지 못하고 화를 낼 수밖에 없는 것은 금수저와 흙수저의 대조적인 삶 때문입니다.

최상류층을 지칭하는 금수저는 어릴 적부터 가장 비싼 영어 유치원 입학을 시작으로 고액 과외를 받아 명문 대학에 들어간 다음 부모의 재산을 물려받거나 이른바 '낙하산'으로 안정된 직장에 취직한다고 합니다. 반면 하류층을 지칭하는 흙수저는 동네에 있는 작고 좁은 어린이집 입학을 시작으로 독서실에서 혼자 공부해 평범한 대학에 들어가 가까스로 일자리를 얻거나, 아니면 고등학교 졸업 후 바로 비정규직으로 취업하게 됩니다. 자발적 백수가 되는 이들도 있습니다.

저는 금수저와 흙수저의 비교 표현 역시 우리 사회 현실을 분명 과장하고 있다고 생각합니다. 하지만 이런 표현이 옳고 그르고를 떠나 이런 표현을 만들어 내고 확산시키고 있는 이들의 마음입니다. 이런 표현을 만들어 내고 확산시키는 세대는 대부분 청년세대입니다. 이들이 왜 이런 거친 표현을 만들어 내고 깊이 공감합니까? 스스로를 흙수저라고 생각하고 절망하는 청년들이 많기 때문이지요. 누구나 열심히 일하면 성공할 수 있는 사회가 아니라 어떤 수저를 물고 태어나느냐에 따라 삶이 이미 결정된, 상시적인 불안과 공포를 안겨주는 사회란 얼마나 비극적인 사회이고, 그 안에서 살아가는 대다수의 평범한 사람들의 좌절감이란 얼마나 큰 것인가요.

해법이 필요합니다. 사회제도의 차원에서는 각 세대가 겪는 문제를 제대로 진단하고 해결할 수 있는 처방이 있었으면 좋겠습니다. 불안의 사회적 원인인 대학입시, 청년실업, 구조조정, 노후빈곤 문제를 푼다는 것은 결코 쉽지 않습니다. 이 이슈들을 해결하려면 우리 사회의 정치·경제 패러다임을 전반적으로 바꿔야 하기 때문입니다. 상담사인 저는 사회적 개혁에 대해서는 지식이 일천하지만 우리 사회의 주요 제도에 대한 개혁이 필요하다는 의견에는 크게 공감합니다. 이념적 편향을 넘어서 국민 다수가 지지하고 공감할 수 있는 변화가 이뤄져야 우리 사회가 적어도 수저론 같은 자조적 풍자에서 벗어날 수 있을 것 같습니다.

제도 개혁 못지않게 중요한 것이 개개인의 마음의 변화와 의지입니다. 각자가 불안에 맞서는 의지, 절망에 맞서는 희망의 마음을 가져야만 우리는 비로소 문제 해결의 단서를 찾을 수 있습니다. 공황장애를 앓고 있는 내담자를 상당수 만났습니다. 그분들이 호소하는 바는 비슷했습니다. 숨이 쉬어지지 않아 비닐봉지를 입에 대고 숨을 쉬어야 한다는 분도 계셨고, 가슴이 답답해 주먹으로 자신의 가슴을 열 번도 넘게 내리쳤다는 분도 있었습니다. 그러나 제가 만난 분들 중 자신의 공황장애를 일으킨 원인이 무엇인가를 정확하게 파악하고 계시는 분은 거의 없었습니다. 증상에 압도되다 보니 찬찬히 이 병을 극복해야겠다는 생각보다는 언제라도 이런 불안감이 나를 덮칠지 모른다는 예기불안에 쌓여 이성적으로 문제를 바라보지 못합니다. 자신의 불안의 원인을 차분한 시각으로 파악하고 난 후에야 심리치료든, 약물치료든 자신에게 맞는 처방을 통해 불안장애를 극복할 수 있습니다.

담배를 든 자화상 (Self-portrait with Burning Cigarette, 1895)

제가 좋아하는 뭉크의 또 다른 그림은 '담배를 든 자화상(Self-portrait with Burning Cigarette·1895)'입니다. '절규'를 발표한 지 2년 후 그린 작품입니다. 작품을 보면 화면 전체에는 여전히 뭉크 특유의 우울함이 감돕니다. 인물과 배경의 경계가 불분명한 검고 푸른색으로 가득 차 있고, 담배 연기와 함께 모든 것이 사라질 듯한 불안함도 줍니다. 하지만 제가 이 그림을 특히 좋아하는 이유는 뭉크의 얼굴에 서린 단호한 의지 때문입니다. 캔버스 이쪽의 자신을 응시하는 또렷한 두 눈과 굳게 다문 입술은 감상자의 시선을 잡아끕니다. 불행한 가족사와 내면의 우울을 똑바로 응시해 이겨내려는 의지를 드러냄으로써 감상자들에게 삶의 희망을 전달하려는 뭉크의 마음을 저는 이 '담배를 든 자화상'에서 읽을 수 있었습니다.

어떤 분은 현실이 절망적인데 어떻게 희망을 품을 수 있겠느냐고 반론을 제기할지도 모릅니다. 맞습니다. 사회제도와 구조가 개인의 변화를 허락하지 않을 경우 그 제도와 구조에 맞서는 개인의 도전은 실패할 가능성이 높습니다. 그러나 반대로 개인의 변화 없이는 사회의 제도 개혁이 제대로 이뤄지기도 어렵습니다.

새해가 온다고 해서 저절로 바뀌는 것은 없습니다. 하지만 새로운 1년을 맞이하는 지금 새로운 희망을 품지 않을 수는 없습니다. 새해를 맞이하는 시간, 죽음의 공포를 느낀다는 공황장애를 앓으면서도 저렇게도 선명한 눈빛과 표정으로 자신의 불안과 고통을 그림으로 승화해 낸 뭉크의 작품에서 위로를 받습니다. 저 역시 종종 이 시대를 살아가는 많은 사람처럼 가끔은 불안함과 두려움을 느낍니다. 그럼에도 새해를 여는 지금 저 자신에게 말해주고 싶습니다. "해피뉴이어(Happy New Year)~ 힘들더라도 낙심하지 말자. 내 안에는 생명을 향한 강건한 불꽃이 있어. 잘 해낼 수 있어." 여러분은 스스로에게 어떤 격려를 해주며 새해를 시작하시는지요.

15. 파블로 피카소 : '아비뇽의 처녀들', '게르니카'

아비뇽의 처녀들 (The Young Ladies of Avignon, 1907)

대중적으로 매우 유명하지만 개인에게는 그다지 큰 감동을 주지 못하는 예술가들도 있습니다. 제게는 괴테가 그렇습니다. 괴테의 '파우스트'가 고전 중의 고전이라지만 제게는 별 감흥이 없었습니다. 몇 년 전 기대하는 마음으로 괴테의 책을 사서 읽어보았지만 조금 읽다가 이내 책을 덮어 버렸습니다. 책으로 읽는 드라마라는 형식이 제겐 낯설었고 솔직하게 말하면 그 내용 또한 지루했습니다. 제 공부가 괴테를 읽기에는 부족하기 때문일까요, 아니면 감수성 코드가 서로 맞지 않은 것일까요. 저도 더 연륜이 쌓이면 '파우스트'가 전하는 사람과 세상에 대한 지혜를 터득할 수 있을까요.

화가들의 경우도 마찬가지입니다. 비록 이름이 잘 알려지지 않았다 하더라도 깊은 감동을 안겨주는 화가가 있는 반면, 널리 알려져 있더라도 별다른 감흥을 주지 않는 화가도 있습니다. 저는 아무래도 예술가를 평할 때 유명함이나 영향력보다 제 마음을 얼마나 움직일 수 있는지에 초점을 두고 있는 것 같습니다. 이 기획에서 다룬 엘 그레코와 카라바조는 제게 상반된 감정을 안겨준 화가들입니다. 두 사람은 모두 서양 회화를 대표하는 거장들입니다. 활동한 시기도 매너리즘과 바로크 시대이니 엇비슷합니다. 하지만 제가 두 화가로부터 받은 느낌은 달랐습니다. 엘 그레코의 경우 아름다움과 성스러움이 결합된 풍성한 감동을 안겨준 반면, 카라바조의 경우는 천재성이 드러나는 구도와 명암에도 불구하고 제 마음을 움직이지 못했습니다. 왜 그랬을까 곰곰이 생각해 보니 그 까닭은 기독교 신앙인으로서의 제 정체성 때문이라는 결론에 도달했습니다. 엘 그레코의 성화에 담긴 신실한 믿음이 제 마음에 평화와 감동을 주었다면, 카라바조의 성화는 현란한 기교가 가득한 생업을 위한 그림으로 느껴져 불편했던 것이지요. 이렇듯 개인의 가치관과 관점에 따라서 예술적 취향은 다양한 차이를 갖습니다.

화가들 가운데 괴테와 비슷한 느낌을 안겨주는 이는 파블로 피카소(Pablo Picasso·1881~1973)였습니다. 피카소는 지난 20세기에 활동한 화가의 대명사이지요. 그 어떤 화가도 피카소만큼 유명하지 않았으니까요. 조르주 브라크와 함께 입체주의 회화를 이끈 피카소는 30대에 이미 세계적 거장으로 꼽혔습니다. 이렇게 위대한 그의 작품들이 왜 제겐 감동을 주지 못했을까요. 곰곰이 생각해 보니 그가 너무 유명하고 그의 작품이 너무 자주 보인다는 게 이유인 것 같았습니다. 여기에 더해 그의 그림이 해석하기 너무 어려웠기 때문인 듯했습니다.

그런데 어느 날 그의 화려했던 일생을 고려하지 않고 순수하게 그의 작품만을 곰곰이 살펴보았습니다. 흥미롭게도 새로운 것들이 보이기 시작했습니다. 기이하고 특이한 실험적 작품들로만 보이던 그의 그림들이 현실과 사회에 대한 날카로운 비판 정신을 담고 있다는 것을 발견하게 되었습니다.

피카소는 스페인 출신의 화가입니다. 서유럽의 변방인 스페인은 서양 회화사에서 뛰어난 솜씨를 보여준 화가들의 나라이기도 합니다. 경제적으로 비록 뒤처졌을지 몰라도 매너리즘의 엘 그레코에서 바로크의 벨라스케스로, 그리고 낭만주의의 고야로 이어진 스페인 회화는 렘브란트와 고흐로 대표되는 네덜란드 회화 못지않게 서양 회화사에서 중요한 흐름을 이뤄왔습니다. 이러한 전통 아래 피카소라는 대가가 나올 수 있었던 것이지요.

피카소의 작품들을 보면 그는 19세기에 활동한 여느 화가들과는 확연히 구분되는 20세기적 개성을 보여줍니다. 대상을 아름답게 재현하는 게 아니라 새로운 기법을 창안하고 그에 입각해 새로운 메시지를 안겨주는 게 그의 회화입니다. 젊은 시절에 피카소는 새로운 회화 양식에 관심이 많았는데 르네상스에서 인상주의에 이르는 방식, 즉 대상을 재현하는 전통적 회화의 방법에 불만을 품었었다고 합니다.

입체주의의 대표작으로 꼽히는 '아비뇽의 처녀들(The Young Ladies of Avignon·1907)'은 이러한 그의 회화 특성을 잘 보여주는 대표작입니다. 이 작품에서 가장 먼저 주목할 것은 시점(視點)이 하나가 아니라 여러 개라는 점입니다. 여러 시점에서 바라본 인물들은 입체적인 모습을 보여주고 있을 뿐만 아니라 오른쪽에 있는 두 여성의 얼굴은 색도, 모양도 왜곡돼 있습니다. 원근법도 고려하지 않은 피카소 특유의 화법이 잘 드러나는 작품이지요.

현재의 시점에서 보면 '아비뇽의 처녀들'은 그렇게 놀랄 만한 작품이 아닐지도 모릅니다. 하지만 20세기 이 작품이 공개됐을 때 화가들과 대중은 큰 충격을 받았다고 합니다. 피카소가 전통 회화의 원칙을 무시한 채 매우 혁신적인 화풍을 선보였기 때문이지요. 도발적인 포즈로 감상자를 응시하는 캔버스 속 인물들은 전통적인 아름다움이 아닌 유쾌하지 않은 불편함을 안겨줍니다.

피카소와 함께 입체주의를 주도한 브라크도 이 작품에 대해 불만을 터뜨렸다고 합니다. 대중에게 편안함보다는 불편함을 자각시키는 게 모더니즘 예술의 본령이지만, 이러한 모더니즘이 충분히 수용되기에는 다소 이른 시기였던 것이 아닌가 싶습니다. 이런 비판 때문인지 피카소는 1907년에 이 작품이 처음 전시된 이후 10년이 지나서야 대중에게 다시 공개했다고 합니다. 이렇듯 피카소는 20세기 회화의 혁명을 이끈 리더인 동시에 대상을 재현하는 새로운 방식을 모색하고 이를 실천함으로써 다른 화가들에게 지대한 영향을 미친 화가임에는 분명합니다.

게르니카 (Guernica, 1937)

또 다른 흥미로운 점은 피카소가 그림 그리기에만 관심을 가진 화가가 아니었다는 점입니다. 그는 프랑스 공산당에 입당하는 등 뚜렷한 정치적 성향을 보이기도 했습니다. 사회 현실에 대한 피카소의 문제의식이 잘 반영된 작품이 바로 그의 대표작으로 꼽히는 '게르니카(Guernica·1937)'입니다.

피카소는 프랑스에서 주로 활동했지만, 스페인 출신이라는 자신의 정체성을 잃지는 않았었던 듯합니다. 오랫동안 지속된 스페인 왕정의 그림자가 고야의 그림에 반영돼 있듯, 피카소의 작품에도 스페인의 우울한 현대사가 담겨 있으니까요. '게르니카'는 스페인 파시스트 프랑코 정권을 고발하고 비판하기 위해 그린 작품입니다. 1937년 4월 프랑코 정권은 스페인 북부에 있는 바스크 지방의 게르니카를 융단 폭격하는 처참한 일을 자행했습니다. 당시 스페인은 우파 프랑코 정권과 좌파 인민전선이 전쟁을 벌이고 있었는데, 프랑코 정권은 바스크 점령을 위해 이런 악마와 같은 일을 벌였습니다. 이때 1500명의 무고한 사람이 희생되었습니다. 게르니카 폭격이 충격을 준 것은 민간인들에게마저 무자비하게 폭력을 행사했다는 점이었습니다.

피카소는 이 폭격에 큰 충격을 받았고 분노했습니다. '게르니카'는 다양한 인물과 상징들로 구성돼 있습니다. 죽은 아이를 안고 울부짖는 여인부터 부러진 칼을 든 채 쓰러진 병사까지, 여기에 더해 일그러지고 절규하는 인물들과 멍한 모습의 황소, 광기 어린 말 등이 캔버스에 담겨 있습니다. 이 끔찍하고 절망스러운 모습들을 피카소는 어두운 무채색으로 표현함으로써 충격과 분노와 슬픔을 더욱 효과적으로 전달하려 했습니다.

'게르니카'는 발표되자마자 세계적인 주목을 받았고, 파시스트 정권에 대한 피카소의 비판은 큰 공감을 일으켰습니다. 폭격을 리얼하게 묘사한 게 아니라 상징적으로 재현한 이 작품은 그 어떤 사실주의 회화보다도 폭력에 대한 분노와 전쟁에 대한 증오라는 공명을 불러일으켰습니다. 제가 게르니카를 보고 매료되었던 이유도 같은 이유일 것입니다. 그의 그림은 아주 분명한 어조로 명분 없는 폭력에 대한 강력한 비판과 항거의 메시지를 나타내고 있습니다.

폭력은 인간의 존엄성을 훼손시킨다는 점에서 그 어떤 형태라 하더라도 받아들일 수 없습니다. 전쟁은 폭력의 정점을 수반하기 때문에 그 어떤 형태라도 역시 용납할 수 없습니다. 안타까운 것은,

이러한 폭력과 전쟁이 21세기에 들어와서도 여전히 끝나지 않고 있다는 점입니다. 자원을 둘러싸고, 영토를 둘러싸고, 종교를 둘러싸고 벌어지는 크고 작은 전쟁들이 일어나고, 우리 한반도 역시 현재 세계에서 전쟁의 위험성이 가장 높은 나라입니다. 저는 전쟁의 참상이 느껴지는 사진을 보거나, 전쟁에 대한 뉴스를 들으며 불안감이 엄습할 때 이 '게르니카'가 떠오르곤 합니다.

물론 전쟁만이 이러한 폭력을 행사하는 것은 아닙니다. 일상 속에서도 폭력은 쉽게 관찰할 수 있습니다. 상담사인 저는 전쟁과 비교해도 뒤지지 않을 정도의 숨어 있는 폭력과 자주 맞닥뜨립니다. 가정폭력, 아동학대, 노인학대, 성폭력 등을 포함해 갖가지 폭력에 희생당하는 이들의 숫자와 고통은 말로 표현하기 어려울 정도입니다. 10년 동안 방송국에서 사건과 사고를 논평하는 프로그램의 패널로 매일 참여하고도 있는 저는 점점 더 잔혹해지고 엽기적이 되어가는 폭력적 사건들을 보며 넋을 잃을 때가 많습니다.

폭력은 습관입니다. 다소 거친 말이지만 저는 폭력은 배설과도 같은 행위라고 설명하곤 합니다. 폭력은 일어날 만했으니까 일어나는 일이 아닙니다. 폭력을 쓰는 사람은 자신의 화풀이 대상이 필요할 뿐입니다. 마치 배설 욕구처럼 몸 속 어딘가에서 생긴 분노와 짜증을 몸 밖으로 빼내고 싶습니다. 그런데 이 더러운 배설은 대개 대상이 필요합니다. 부글부글 끓어오르는 공격성을 쏟아내고 나서야 마음의 평화를 되찾기 때문입니다. 평화를 되찾은 가해자는 때로는 피해자에게 무릎 꿇고 사과를 하기도 하고, 울면서 자기 잘못을 고백하기도 하고, 또 자상하고 순한 모습을 보이기도 하지만, 그런다고 그 폭력성이 사라지지는 않습니다. 다시 말하지만 폭력은 습관이기 때문입니다.

전쟁과 같은 큰 폭력이든 가정폭력과 같은 작은 폭력이든 폭력은 인간의 존엄성을 부정하는 행동입니다. 폭력 앞에서 생명은 말살됩니다. 따라서 어떤 폭력도 정당화될 수는 없습니다. 폭력은 드러나야 합니다. 그래야 사라집니다. 폭력을 쓰는 강자들이 사용하는 가장 흔한 방법은 약자의 입을 막아버리는 것입니다. 지금도 은밀한 곳에서는 이유 없이 폭행당하고 학대당하고 보복이 무서워 입을 열지 못하는 이들이 많습니다. 그러나 우리가 힘을 모아 해야 하는 첫 번째 일은 억울하게 폭력을 당한 사람이 용기를 내어 그 부당함을 드러낼 수 있도록 돕고, 보호하는 것입니다. 폭력이 드러나지 않으면 그 폭력은 점점 더 강화되고 확장되어 끊임없는 희생자가 생기기 마련입니다.

피카소가 '게르니카'를 그린 이유는 자신의 조국에서 행해진 야만적인 폭력의 문제를 전 세계에 고발하기 위해서였을 것입니다. 불의한 폭력에 대한 용감한 고발과 폭력이 사라진 평화로운 세상에 대한 간절한 소망을 저는 '게르니카'에서 읽었습니다. 그리고 멀게만 느껴지던 피카소의 그림들이 제게 중요한 의미를 주는 작품들로 새롭게 다가왔습니다.

심리 갤러리

16. 조르조 데 키리코 : '거리의 신비와 우수', '사랑의 노래'

거리의 신비와 우수 (The Mystery and Melancholy of a Street, 1914)
ⓒ Giorgio de Chirico / by SIAE - SACK, Seoul, 2024

제 직업의 성격상 특별히 관심을 갖게 된 서양 회화 사조의 하나
는 초현실주의(surrealism)입니다. 초현실주의란 이성을 거부하고
인간의 의식 아래 숨은 마음 세계를 표현하는 예술운동을 말합니
다. 미술에서의 초현실주의는 추상미술과 함께 20세기 전반에 가
장 큰 영향력을 미친 사조이자 양식이고, 심리학의 관점에서는 특
별히 흥미로운 미술 양식입니다.

두 가지 점에서 그러합니다. 첫째, 초현실주의는 정신분석학자 지

그문트 프로이트가 발견한 무의식에 주목합니다. 인간의 의식 아래에 놓인 무의식을 화폭에 재현함으로써 감상자에게 뜻밖의 놀라움을 안겨줍니다. 둘째, 감상자는 이러한 놀라움으로 자신의 무의식과 마음 깊은 곳을 들여다보면서 삶에 대한 새로운 통찰을 얻게 됩니다.

초현실주의 화가들의 작품을 이해하기란 쉽지 않습니다. 르네 마그리트의 작품들처럼 메시지가 분명히 드러난 초현실주의 그림들도 있지만, 대개는 막스 에른스트의 작품들처럼 메시지가 모호합니다. 대중에게 가장 널리 알려진 초현실주의 화가 살바도르 달리의 작품들조차 이해하기가 만만치 않습니다. 초현실주의 화가들이 즐겨 표현하는 재료가 꿈, 환상, 무의식인 데다 그들이 행하는 방식이 왜곡과 비논리적인 병치(竝置)이기 때문입니다.

오늘 소개하고 싶은 화가는 조르조 데 키리코(Giorgio de Chirico·1888~1978)입니다. 이탈리아 화가 키리코는 초현실주의 회화의 선구자 중 한 사람으로 서양 미술사에서 20세기 초반에 나타난 형이상학 화파의 대표적인 화가로 알려져 있습니다. 형이상학 화파는 전통적 조형 질서를 존중하되 정신성을 추구하려 한 사조인데, 이런 정신성의 추구가 초현실주의 회화에 큰 영향을 미쳤습니다. 흥미로운 것은 키리코는 장수한 화가이지만 그의 작품 중 지금까지 주목받는 그림은 그가 20대인 1910년대에 그린 작품들이라는 사실입니다.

'거리의 신비와 우수'(The Mystery and Melancholy of a Street, 1914, 미국 코네티컷 주 뉴케이넌 스탠리 R. 레저 컬렉션

소장)는 그의 대표작으로 꼽히는 그림입니다. 지금 한 소녀가 굴렁쇠를 굴리며 뛰어갑니다. 그런데 반대편에서 정체를 알 수 없는 검은 거인이 다가옵니다. 하늘은 녹색입니다. 회랑이 이어진 고대 도시풍의 건물 끝에는 노란색 깃발이 펄럭입니다. 그리고 다른 편에는 한 마차가 문이 열린 채로 있습니다. 제목처럼 신비로우면서도 우수에 찬 거리를 담은 작품입니다.

초현실적인 이 그림에 대한 해석은 열려 있습니다. 제게 이 그림은 한 여성이 우연히 꾼 꿈에 대한 묘사처럼 느껴졌습니다. 어린 시절 마음 깊은 곳에 놓인 불안과 외로움을 담고 있는 것으로 보였습니다. 이런 마음의 상태를 표현하기 위해 키리코는 꿈을 꾸는 것과도 같은 몽환적인 구도, 위태로워 보이는 과장된 원근법, 연관성 없는 사물들의 병치를 활용하고 있습니다.

하지만 이것은 저의 해석일 뿐입니다. 그림이란 사람마다 해석이 다를 수 있는 분야인데, 초현실주의 작품은 그 해석의 다양성이 가장 현저한 화풍입니다. 이 작품에 대한 해석도 많은 이들이 다를 수 있습니다. 예를 들어 작품이 완성된 해가 1914년임을 주목할 때 이 그림에는 제1차 세계대전 발발이라는 암울한 시대적 분위기가 반영됐다고 볼 수 있습니다. 이런 관점에서 본다면 작품의 제목이 말하는 '우수'는 개인적 우울이라기보다는 절망과 폭력이 난무한 '시대의 우울'일 수 있겠지요.

어떻게 해석하든 키리코가 이 작품을 통해 인간의 내면과 본성을 들여다보게 하는 것은 확실합니다. 키리코 작품의 핵심은 밖에 놓인 사물과 대상을 회화적으로 얼마나 잘 재현하느냐보다는 '인간

내면 의식의 풍경을 얼마나 잘 표현하느냐' '그리하여 감상자들에게 어떤 의미와 메시지를 안겨주느냐'에 있다고 저는 생각합니다. '거리의 신비와 우수'라는 제목은 화가 자신이 느끼는 삶과 시대의 꿈, 그리고 우울이 아닐까 싶습니다. 이 작품을 보는 감상자는 작가의 이런 마음 상태에 감정을 이입해 공감할 수 있습니다.

재미있는 사실은 키리코의 이 작품은 100년 전에 그린 것인데도 그때보다도 지금의 우리들에게 더 잘 어울리는 듯하다는 것입니다. 심리상담사인 제가 보기에, 현재의 삶이 세계대전과 같은 끔찍한 전쟁 속에 있진 않지만 설명하기 어려운 불길함과 불안감은 더 짙고 더 깊게 우리를 휘감고 있는 듯합니다. 현대인은 바쁘게 살아가지만 어느 한순간에 자신의 존재가 소멸될 수 있음을 두려워합니다.

모두가 각종 삶의 전쟁에서 살아남기 위해 최선을 다하지만, 그 '최선'은 우리가 소중하다고 생각하는 것들을 적잖이 앗아가고 있습니다. 그림 속 굴렁쇠를 굴리며 뛰어가는 소녀처럼 희망과 꿈을 가지고 각자의 삶을 열심히 살아가지만 거리 저편에서 성큼성큼 다가오는 미지의 거인이 언제 찾아와 빼앗아갈지 모릅니다. 텅 빈 마차가 상징하는 것은 이러한 삶에 스며든 허무함이 아닐까요.

'거리의 신비와 우수'에 담긴 이미지들은 우리 안에 잠자는 무의식과 매우 닮았습니다. 인간에게는 누구에게나 무의식의 세계가 있습니다. 무의식에는 우리가 인식하고 싶지 않은 공격성, 분노, 수치심, 죄책감, 두려움, 복수심, 심리적 상처 같은 본능적인 욕구가 내재합니다. 그런데 무의식은 매우 위험한 '일차적 본능'으로 이뤄졌기에 '의식'은 이런 '무의식'이 밖으로 쏟아져 나오지 못하도록 잘 조절해야 합니다.

 전통 정신분석학 이론에 따르면, 사람에게 일어나는 신경증적인 행동이란 이처럼 터져 나오려고 하는 본능적인 욕구와 함부로 나오지 못하도록 하는 이성적인 조절 간의 갈등에서 비롯된 것입니다. 위험하기에 억압될 수밖에 없지만, 무의식은 답답함과 불안, 우울과 슬픔의 원인이 됩니다.

 '거리의 신비와 우수'가 갖는 의미는 여기에 있습니다. 우리가 미술을 감상하는 까닭의 하나는 감상을 통해 나의 마음속을 돌아보는 것입니다. 말로 표현하기 어려운 불안을 느끼게 하는 이 작품에는 우리 내면에 억압된 불안의 존재를 건드리는 무엇인가가 있습니다. 흔들려진 무의식이 느끼는 불안감이 기분 나쁘기는 하지만 동시에 일종의 자유로움을 경험하기도 하지요.

 '사랑의 노래'(Song of Love, 1914, 미국 뉴욕 현대미술관(MoMA) 소장)는 키리코의 또 다른 대표작입니다. 이 작품은 '거리의 신비와 우수'보다 더 난해합니다. 가장 먼저 눈에 들어오는 것은 고대 도시 건물에 걸린 아폴로 두상과 수술용 장갑이고, 어두운 바닥에는 짙은 녹색 공이 하나 놓여 있습니다. 배경으로 펼쳐진 녹색 하늘 아래 저 멀리에는 고대 도시풍 건물이 보이고, 그 옆에는 공장에서 연기가 뿜어 나옵니다. 자세히 보면 기관차가 증기를 내뿜으며 달려가는 것 같기도 합니다.

 '사랑의 노래'는 전형적인 초현실주의 작품입니다. 같은 공간에서 발견하기 어려운 사물들을 한 화면 안에 배치하는 수수께끼와도 같은 장면을 연출함으로써 관람자에게 낯섦을 안겨주려는 게 작품의 목적으로 보입니다. 이 같은 구도와 배치는 처음에는 낯설지만, 그 낯섦 속에서 묘한 친근함을 느낄 수 있다면 자신의 무의식과 가까워지고 있는 것입니다.

사랑의 노래 (Song of Love, 1914)
ⓒ Giorgio de Chirico / by SIAE - SACK, Seoul, 2024

서양 회화에서 이런 기법은 '데페이즈망(dépaysement)'이라고 합니다. 사물들을 일상적 환경에서 이질적 환경으로 옮겨 대상들끼리의 기이한 만남을 시도하는 방식입니다. 데페이즈망을 잘 보여준 이는 초현실주의 예술의 선구자인 시인 로트레아몽인데, '재봉틀과

우산이 해부대에서 만나듯이 아름다운'이라는 그의 시구절은 데페이즈망 기법의 대표적인 사례로 꼽힙니다. 데페이즈망은 무의식을 일깨우고 그 무의식을 의식의 표면에 떠오르게 함으로써 우리의 상상력을 확장하고 새로운 감성과 생각을 불어넣습니다.

그런데 도대체 키리코가 이런 기이한 배열의 방식으로 '사랑의 노래'를 통해 말하고자 했던 가치는 무엇일까요? 아폴로 두상, 외과수술용 장갑, 그리고 녹색 공이 만들어 내는 이미지들의 충돌은 본래 이렇게 공존 불가능한 것들을 공존하게 하는 게 우리네 삶의 아이러니임을 드러내는 것일까요, 아니면 제목처럼 사실상 죽어 있는 아폴로, 끔찍한 외과수술용 장갑, 그리고 차가운 느낌의 녹색 공의 기이한 공존이 가능할 수 있게 하는 것이 '사랑'이라는 것을 알리고 싶었을까요. 이 질문에 대한 답은 아무도 모릅니다. 초현실주의란 그저 해석하는 것이니까요.

20대에 이렇게 주목할 만한 작품들을 내놓은 뒤 키리코가 보여준 행적 또한 흥미롭습니다. 1930년대에 들어와 키리코는 더 이상 과거와 같은 작품들을 그리지 않고 라파엘로와 루벤스 같은 고전적인 화가의 작품들을 '모사'하는 평범한 화가로 전향했습니다. 이 점에 주목해 어떤 이들은 그를 초현실주의의 선구자인 동시에 배신자라고 평가하기도 했지요.

누구든 자기 삶에서 변신을 시도할 수 있습니다. 젊은 시절에 너무 혁신적이었던 키리코가 나이가 들면서 보수화되었을 가능성도 있겠고, 드러내지 않았지만 난해한 그림 양식이 아닌 다른 그 무엇에서 삶의 의미를 발견했을 수도 있겠지요. 그러나 분명한 것은 그의 초기 작품들이 20세기 회화에 미친 영향이 결코 적지 않았다는 점입니다. 그는 인간의 상상력을 확장시키는데 기여했고, 그 덕에 우리는 자신의 내면을 더 잘 이해할 수 있게 됐습니다. 무의식의 깊은 부분을 흔드는 예술작품은 결코 흔하지 않습니다. 키리코의 그림은 불안을 키우는 현대 시대 속에서, 현대의 어울리는 방식으로 우리의 불안과 소통하게 해주는 고마운 그림입니다.

심리 갤러리

17. 르네 마그리트 : '연인', '연인 2'

연인(The Lovers, 1928)

저는 상담사입니다. 25년 동안 많은 내담자를 만나 다양한 삶에 관한 이야기를 나눴습니다. 이런 제게 누군가 '사람을 가장 행복하게 만들거나 가장 고통스럽게 만드는 것 한 가지만 꼽아보라'고 한다면 저는 주저 없이 '그것은 사랑'이라고 대답할 수 있습니다. 사랑만이 유일하게 삶의 위안이었다고 말한 사람이 있는가 하면, 사랑 때문에 생애가 지옥이었다고 이야기한 이도 있으며, 평생을 갈구했지만, 진실한 사랑이 뭔지 결국 알 수 없었다고 고백한 사람도 있었습니다. 사랑은 사람을 참으로 행복하게도 만들고, 참으로 아프게도 만듭니다. 서양 사람들은 사랑을 크게 연인 간의 사랑인 '에로스', 친구 간의 사랑인 '필리아', 종교에서 말하는 희생적 사랑인 '아가페'로 나누어 이해했습니다.

사랑의 아픔을 생각할 때 제게 먼저 떠오르는 작품은 르네 마그리트(Rene Magritte· 1898~1967)의 '연인(The Lovers)' 연작입니다. 마그리트의 그림 속에는 사랑의 환희를 경험하는 표정도, 사랑으로 인한 아픔의 눈물을 흘리는 모습도 없습니다. 그런데도 저는 가장 아픈 사랑의 모습을 표현한 그림을 생각하면 이 작품이 떠오릅니다.

마그리트는 벨기에 태생의 화가입니다. 그는 스페인 태생의 살바도르 달리, 독일 태생의 막스 에른스트와 함께 가장 널리 알려진 초현실주의 화가입니다. 달리의 그림은 다소 그로테스크하고 에른스트의 그림은 난해해서 감상하기가 쉽지 않지만, 마그리트의 그림은 적당히 어려우면서도 메시지가 분명하고 매력적이어서 많은 이에게 사랑을 받아 왔습니다.

마그리트는 자신만의 개성 있는 방식으로 그림을 그렸습니다. 주변의 대상들을 매우 사실적으로 묘사하고는 그것들과 전혀 다른 요소들을 작품 안에 배치하는 기법을 사용했는데, 회화에 대한 기존의 고정관념을 깨는 이런 발상의 전환은 그의 작품을 보는 관찰자들로 하여금 삶과 세상을 새로운 시선으로 파악하도록 유도합니다. 어떤 전문가들은 마그리트 작품이 초현실주의 회화치고는 너무

쉽고 단순하다고 비판합니다. 제가 보기에도 그의 작품들은 재치가 넘치는 고급 광고 디자인처럼 느껴지곤 합니다. 하지만 '이것은 파이프가 아니다', '피레네의 성', '빛의 제국' 등 그의 많은 걸작은 기성 회화의 문법을 무너뜨리는 예상치 못했던 놀라움과 지적인 즐거움을 안겨줍니다. 익숙하면서도 동시에 낯선 감동을 선사하는 마그리트 작품은 모네의 인상파와 고흐의 후기인상파 시대가 지나고 20세기 회화가 본격적으로 시작됐음을 알려주는 표지판 같습니다.

초현실주의 회화에 대해 조금 더 살펴보자면, 초현실주의 화풍은 프로이트적 무의식의 세계를 중시한, 제1차 세계대전 직후부터 제2차 세계대전 직전까지 약 20년 동안 프랑스를 중심으로 일어난 전위적 문학 및 예술운동입니다. 초현실주의 화가들은 보이지 않지만 실재하는 무의식과 욕망이 우리 삶에 미치는 영향을 화폭에 담아내려 했습니다.

미술이 가져야 할 중요한 미덕 가운데 하나가 보는 이들의 공감을 불러일으키는 것이라면, 그 방식은 여럿일 수 있습니다. 어떤 이들은 아름다운 자연을 그대로 담은 작품에서 공감을 느낄 수 있고, 어떤 이들은 사회의 빛과 그늘을 담은 작품에서 공감을 얻곤 합니다. 초현실주의 화가들은 인간의 심연에 있는 것들로부터의 공감, 다시 말해 인간 심리 내면에 있는 무의식·욕망·꿈 등에 주목함으로써 기존 회화와는 다른 공감을 이끌어 냈습니다.

마그리트 역시 우리가 볼 수 없더라도 느끼거나 알고 있는 것을 캔버스에 담아 '현실'과 '비현실'의 경계가 모호하고 중첩된다는 것을 펼쳐 보였습니다. 보이는 현실이 현실의 모든 게 아니라 보이지 않는 '초현실'이 현실의 또 하나의 영역이라는 게 그의 작품들이 전달하는 메시지일 것입니다.

'연인'(1928)에는 두 사람이 서 있습니다. 검은 양복을 입고 검은 넥타이를 한 남자와 붉은 옷을 입은 여자가 정면을 바라보고 있습니다. 얼굴을 맞대고 다정하게 선 것을 보면 둘은 작품의 제목처럼 연인이 분명합니다. 그런데 기이합니다. 두 사람의 얼굴이 베일로 가려 있기 때문입니다. 사랑하는 연인은 서로의 눈을 보고, 서로의 얼굴을 어루만지며 서로가 서로의 한 부분임을 확신하는 기쁨을 나누는 게 정상적일 텐데, 그림 속 연인은 서로를 볼 수 없습니다. 서로의 눈을 바라볼 수 없고, 표정을 읽을 수 없고, 사랑하는 이의 얼굴 온도를 알 길이 없습니다. 제목이 연인인 것을 보면 이 둘은 분명 서로 사랑하는 연인일 테지만 두 사람은 사실 서로 잘 모른다는, 서로에게 정직하지 않다는, 서로를 이해하려 하지 않는다는 느낌이 들지 않나요? '연인'이라는 고전적인 제목과 화폭에 담긴 뜻밖의 모습은 감상자에게 긴장을 안겨주고 질문을 유발합니다.

마그리트는 왜 이렇게 기이하고 당황스러운 연인의 모습을 만들어낸 걸까요. 개인적이고 이기적인 현대인의 정직하지 못한 사랑을 지적하고 싶었던 걸까요. 아니면, 사랑하는 연인이라 하더라도 사실 인간이란 지독하게 외로운 존재임을 말하려던 걸까요. 그도 아니라면, 사랑하면 아무것도 보이지 않는다는 속담을 그림으로 설명해 보고 싶었던 건 아닐까요. 이런저런 질문을 하다가 이내 혹시 나의 사랑도 저 그림과 같은 게 아닐까 하는 생각에 마음이 더 불편해집니다.

 마그리트가 화폭 속 연인들의 얼굴에 이토록 당혹스러운 느낌의 베일을 씌운 것에는 자신의 개인적 체험이 담겨 있다고 합니다. 마그리트 본인의 무의식적 트라우마가 깔려 있다고도 표현할 수 있겠습니다. 마그리트는 양복 재단사 아버지와 모자 상인 어머니 사이에서 장남으로 태어났습니다. 그런데 그가 14세 때 어머니가 강에 투신자살을 했는데, 어린 마그리트는 어머니의 시체를 강에서 건져내는 과정을 모두 지켜보게 되고 말았고, 그때 어머니의 얼굴을 덮고 있던 베일을 봤다고 합니다.

 어린아이들에게 어머니는 세상의 모든 것인데 어머니의 자살은 어린 마그리트에게 쉽게 회복하기 어려운 트라우마가 됐을 듯합니다. 추측해 보면, 마그리트에게 베일이란, 사랑하지만 함께할 수 없는 철저한 단절과 이별을 나타내는 상징이었을 듯합니다.

 '연인 2'(1928)는 '연인'보다 더 극적인 작품입니다. 작품 속의 연인은 키스를 하고 있습니다. 앞선 그림처럼 검은 양복을 입고 검은 넥타이를 한 남자와 붉은 옷을 입은 여인이 있습니다. 저만의 느낌일까요. 베일을 쓴 채 가만히 서 있는 연인을 볼 때도 불편한 느낌이었는데, 베일을 쓴 상태에서 키스하는 연인의 모습은 더 당혹스럽고 혼란스럽습니다. 서로의 눈을 볼 수 없는 연인이 서로의 마음은 볼 수 있을까요? 키스를 하고 있지만 과연 그들은 서로의 무엇을 교감하고 있는 것일까요? 절망스러운 느낌까지 안겨주는 작품입니다.

연인2 (The Lovers 2, 1928)
© René Magritte / ADAGP, Paris - SACK, Seoul, 2024

제가 만난 여성 미영(가명) 씨는 혼자 잘 지내지 못하는 사람이 었습니다. 혼자 있으면 너무 외롭고 불안해져서, 제대로 익지 못한 만남을 매번 급속도로 친밀한 만남으로 바꿔버렸습니다. 미영 씨에게 필요한 것은 불안한 세상에서 자신 곁에 있어 줄 수 있는 사람이었기에 그녀는 상대방이 어떤 사람인지에 대해 잘 알려고 노력하지 않았습니다. 정상적이지 않을 정도로 자신의 삶 속에 늘 누군가를 채워 넣었기에 혼자 있는 시간이 많지 않았지만, 단 한 번도 사랑 안에서 진정한 충만함과 완전함을 느낀 적이 없습니다. 공허함과 외로움은 그녀에게는 점점 더 자신의 피부와도 같은 것이 되어갔습니다.

 삶에 온기를 줄 수 있는 사람은 꿈에서도 그리운 존재였지만 미영 씨의 불안은 사랑하는 이를 알아볼 수 있는 눈과 마음을 가렸고, 사랑할 수 있는 기회를 앗아갔습니다. 그녀는 진정으로 사랑하는 이의 눈을 바라보고, 체온을 느끼고, 마음을 나누는 방법을 몰랐던 셈입니다. 그녀는 진정으로 사랑할 수 없었기에 행복할 수도 없었습니다.

 사랑처럼 정의하기 어려운 것도 없을 겁니다. 사랑은 불타는 에로스일 수도 있고, 은근한 필리아일 수도 있고, 숭고한 아가페일 수도 있습니다. 외로움에서 벗어나 하나가 되고 싶은 욕망일 수도 있고, 인격으로 존중하고 싶은 마음일 수도 있으며, 상대방의 행복을 위해 나를 희생하는 결단일 수도 있을 것입니다. 연인 간의 사랑이란 더 정의하기 어렵습니다. 그것이 이성과 감성과 욕망의 복합적인 결합체이기 때문입니다. 그러나 감성이든 이성이든 욕망이든 사랑에서 가장 중요한 것은 서로에 대한 깊은 이해와 편안한 소통일 겁니다. 마그리트의 '연인' 연작이 보여준 사랑은 사랑하고 싶지만 서로를 발견할 수 없고, 알아차릴 수 없는 현대인들의 사랑의 비극을 보여주는 것 같아 마음이 쓸쓸합니다. 베일을 쓰고는 서로의 진실에 다가갈 수 없습니다. 아무리 친밀하게 붙어 있어도, 아무리 달콤한 키스를 한다고 해도 진실과 진심에 다가가지 못한 연인의 이런 행동은 결국 '아무것도 아닌 것'이 되겠지요.

 마그리트는 이런 방식으로 바쁘고 가벼운 삶에 물든 현대인들에게 진정한 사랑의 의미가 무엇인지, 그리고 이를 위해 무엇을 해야

하는지를 넌지시 묻는 것처럼 보입니다. 우리는 나 자신만을 생각하는 이기심 때문에, 상처를 받지 않으려는 나약함 때문에, 노력하지 않는 게으름 때문에 가장 소중한 이들과 점점 멀어지고, 결국 아프게 하고 있는 것은 아닐까요. 전 이 그림을 보면서 도리어 마그리트가 사랑의 핵심은 상대방의 그대로의 모습에 진실하게 다가가는 것이라는 사실을 알고 있었다는 생각이 듭니다.

18. 에드워드 호퍼 : '밤샘하는 사람들', '주유소'

밤샘하는 사람들 (Nighthawks, 1942)

저는 도시에서 태어났습니다. 그렇다 보니 시골 풍경보다는 도시 풍경에 익숙합니다. 나이가 들어가면서 시골 자연 속 전원주택에 살아보고 싶다는 생각도 들지만, 막상 생활할 때마다 필요한 물품을 쉽게 구할 수 있는 도시를 떠나서 살 자신은 없습니다. 제가 태어나고 스물한 살까지 성장한 수유리는 서울 외곽에 위치해 있습니다. 북한산 아래에 있는 만큼 자연과 가까운 곳이었지만, 대도시 생활을 체험하게 한 동네입니다.

수유리를 떠나서는 반포, 염창동, 대신동에서 살아왔고, 미국 캘리포니아 새너제이에 몇 년간 거주하기도 했습니다. 이런 삶의 이력 때문인지 저는 도시를 사랑하고, 그 속에서 사는 현대인의 삶에 대해 종종 생각해 보곤 합니다. 현대 도시 생활의 특징은 자유로움과 외로움을 동시에 안겨준다는 것인데, 흥미로운 점은 두 감정이 상반된 것이라는 사실입니다. 한편으로는 자유를 갈망하면서도 다른 한편으로는 혼자 남겨지는 것을 싫어하는 것이 현대인의 마음 또는 정체성이기도 합니다.

서양에서 근대사회가 시작된 이후 도시 생활을 화폭에 담았던 화가는 적지 않습니다. 19세기 후반에 등장한 인상파 화가들과 그 후예들은 당시 정치의 중심이자 예술의 중심이던 파리를 즐겨 그렸습니다. 그중에서도 모네와 피사로는 특히 파리의 다양한 모습을 작품으로 남겨 놓았습니다. 하지만 이들은 도시 풍경을 그린 것이지 도시인의 생활을 세밀하게 주목한 것은 아니었습니다. 도시 풍경과 도시인들의 일상을 화폭에 담은 대표적인 화가를 생각했을 때 바로 떠오르는 화가는 미국의 에드워드 호퍼(Edward Hopper· 1882·1967)입니다.

호퍼는 잭슨 폴록, 앤디 워홀과 함께 20세기 미국 미술사에서 가장 유명한 화가입니다. 폴록과 워홀은 개성이 강한 화가입니다. 폴록이 큰 캔버스 위로 물감을 흘리고 끼얹는 등의 '액션 페인팅'을 선보인 추상표현주의 화가라면, 워홀은 순수미술과 대중미술 간의 경계를 허문, 광고와 영화에도 큰 영향을 미친 '팝 아트'의 화가입니다. 이들과 비교해 보면 사실 호퍼의 작품들은 고전적이며 소박합니다. 그는 서양 미술의 주요 흐름인 풍경과 인물을 화폭에 담았다는 점에서 고전적이고, 대상을 있는 그대로 그렸다는 점에서 소박합니다. 그가 주로 활동한 20세기 전반 유럽의 회화, 예를 들어 표현주의나 초현실주의와 비교해 볼 때, 이런 호퍼의 고전성과 소박함은 더욱 두드러집니다. 이렇게 고전적이고 소박했음에도 그의 작품들은 관람객의 시선을 고정시키는 묘한 매력이 있습니다.

미국 시카고 미술연구소에 있는 '밤샘하는 사람들'(Nighthawks·1942)은 호퍼의 대표작입니다. 그림 속의 시간은 한밤에서 새벽으로 가는 시점인 듯합니다. 길게 이어진 바를 사이에 두고 종업원과 한 커플이 이야기를 나누고 있고, 다른 한 사람은 뒷모습을 보인 채 혼자 앉아 있습니다. 대도시에서 쉽게 볼 수 있는 모습이지요? 그러나 흔한 모습을 담은 이 작품은 화려한 도시 풍경 속에서 도시인들이 느끼는 외로움과 쓸쓸함을 잘 표현하고 있습니다. 도시에 사는 사람이라면, 그림 속의 커플이나 혼자 앉아 있는 사람에게서 자신의 모습을 발견할 수도 있을 것입니다. 50여 년 동안 살았던 뉴욕 맨해튼 그리니치 빌리지의 한 간이식당에서 작품의 모티프를 얻은 것으로 알려져 있는 이 그림은 미국적인 대도시 풍경을 잘 표현하고 있습니다.

현대 도시는 여러 얼굴을 갖고 있습니다. 도시학자들은 도시의 주된 기능은 편리함과 익명성을 선물하는 것이라고 말합니다. 인간은 상품과 서비스를 떠나 살 수 없는데, 도시는 질 좋은 상품과 다양한 서비스라는 편리함을 제공합니다. 게다가 도시는 다른 사람들을 신경 쓰지 않아도 될 익명성을 안겨줍니다. 현대인들은 대부분 다른 이들이 내 삶에 과도하게 개입하게 되면 피곤함을 느끼는데, 도시의 익명성은 피곤한 인간관계에서 벗어난 자유로움을 선사합니다.

그러나 도시의 편리함, 익명성과 도시의 불친절, 외로움은 동전의 앞뒷면과 같습니다. 빠른 속도로 진행되는 도시의 변화는 도시에 사는 이들에게 불친절과 외로움을 안겨줍니다. 도시학자들에 따르면, 변화가 빠른 속도로 진행되거나 그 결과가 낯설 경우 인간은 자연스럽게 무관심 전략을 취하게 된다고 합니다. 이런 무관심 전략은 다른 이들을 불친절하게 대하는 것으로 나타나는데, 도시인들 사이의 이런 불친절은 결국 외로움을 낳게 합니다.

이렇듯 편리함과 불친절, 익명성과 외로움은 현대 도시인들이 갖는 이중적인 마음입니다. 호퍼의 '밤샘하는 사람들'이 전달하는 메시지도 바로 이러한 우리 도시인의 정체성인 것으로 보입니다. 화려한 불빛 아래 다양한 문명의 이기를 누리고 살지만, 정작 마음 밑바닥에는 외로움과 소외감이 똬리를 틀고 있습니다. 삶에 지쳐 누군가와 속 깊은 이야기를 나누고 싶지만, 분주한 도시 생활에선 그럴 마음의 여유도, 진정한 관심을 가지고 내 말을 들어줄 친구도 찾기 어렵습니다.

이런 삭막한 도시 생활은 우리 마음을 쓸쓸하게 만들고, 따뜻한 인간관계를 그리워하게 만듭니다. 인간이란 본래 혼자 있고 싶어 하면서도 동시에 누군가와 함께 있기를 바라는 존재이기 때문입니다.

심리 갤러리

주유소 (Gas, 1940)

도시 생활의 편리함과 쓸쓸함을 느끼게 해주는 호퍼의 또 다른 그림이 있습니다. '밤샘하는 사람들'과 함께 널리 알려진 '주유소'(Gas·1940)입니다. 이 그림의 배경이 된 주유소는 미국 매사추세츠 주에 실제로 있었다고 합니다. 언뜻 보면 길가에 있는 한 모빌 주유소의 평범한 풍경을 담았지만, 곰곰이 보고 있으면 역시 호퍼 그림의 특징인 도시인의 양가적인 감정을 느끼게 해주는 그림입니다.

환한 주유소와 어두워져 가는 숲, 주유소라는 문명의 이기와 혼자 주유 시설을 점검하는 사람의 쓸쓸함, 그리고 시골인 듯하면서도 도시의 외곽인 듯한 풍경이 시선을 잡아끕니다. 미국 뉴욕 현대미술관에 있는 이 작품은 마치 영화의 한 장면을 보는 것 같은 깊은 인상을 주는데, 이 그림을 볼 때 제가 갖는 느낌 역시 한가로움과 쓸쓸함이 공존하는 묘한 감정입니다.

호퍼의 그림 속에 나오는 도시의 모습과 비슷한 느낌을 주는 동네들이 서울에도 있습니다. 개인적으로 저는 지하철 안국역에서 나오면 만나게 되는 북촌이나 경북궁역에서 나오면 만나게 되는 서촌에서 그런 느낌을 받습니다. 북촌이나 서촌이 보여주는 모습은 조선시대의 풍경이라기보다는 경제개발 시대의 초기 풍경입니다. 북촌은 최근 많이 변화했지만, 서촌은 여전히 그 시절의 모습을 적잖이 갖고 있습니다. 누상동과 누하동을 산책하거나 그 옆에 있는 통인시장을 구경할 때면, 저는 어린 시절 수유리로 돌아간 듯한 느낌을 갖게 돼 마음이 편안해지고 약간 기분 좋은 흥분감이 생기기도 합니다. 서촌과 북촌은 따뜻함이 있는 도시입니다.

이런 맥락에서 최근 진행되는 도심 재개발은 제 마음 한켠에 아쉬움을 불러일으킵니다. 도시학자들은 도심 낙후 지역에 고급 주거 및 상업지구가 새로 조성되는 것을 젠트리피케이션(gentrification)이라고 합니다. 이런 젠트리피케이션이 진행되는 동네에서는 낙후된 건물이 철거되고 그 자리에 주상복합건물이 들어서면서 중·상류층의 주거지구와 이와 관련된 상업지구가 형성돼 왔습니다. 신사계급을 뜻하는 젠트리(gentry)의 주거 지역이라는 의미에서 젠트리피케이션이라는 개념이 만들어졌다고 합니다.

쾌적한 주거 및 사무 공간이 새롭게 조성되는 것은 서울이 그만큼 발전한다는 점에서 좋은 일입니다. 그곳에서 일하거나 사는 사람들에게는 특히 그렇겠지요. 하지만 저는 추억이 담긴 곳들이 사라진다는 사실과 쾌적함은 있지만 삭막함도 점점 높아지는 이 현상이 다소 아쉽습니다. '나의 도시'였던 서울이 최첨단 씨티로 변해가는 것도 반가우면서도 동시에 참 서운합니다.

호퍼의 작품을 통해 제가 이야기하고 싶은 것은 현대 도시인의 정서입니다. 자유로움과 외로움이라는 이중 감정을 느끼며 각자의 하루하루를 고군분투하면서 살아가는 존재가 현대 도시인이 아닐까 싶습니다. 하지만 자유를 추구하지만 동시에 외롭고 쓸쓸한 현대인의 이중적 모습이 나쁜 것만은 아닙니다. 개인의 심리적 성숙성을 이야기할 때 가장 잘 통합된 형태는 함께 있을 수도 있고 혼자 있을 수도 있는, 즉 '따로, 또 같이' 할 수 있는 능력입니다. 오케스트라의 화음이 좋을 때가 있고 독주가 아름답게 들릴 때가 있듯이 연간 역시 함께 어울려야 할 때가 있고, 혼자 견뎌야 할 시간이 있습니다. 이렇게 '따로'도 잘 존재할 수 있고, '같이'도 잘 어울릴 수 있는 존재들이 도시인이 아닐까요. 도시 생활에서 지쳐 있으신 분이 계시다면 호퍼의 그림에서 위로를 받아보시면 어떠실지요.

19. 앤디 워홀 : '200개의 수프 깡통', '8명의 엘비스'

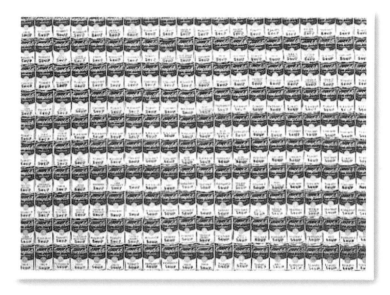

200개의 수프 깡통 (200 Soup Cans, 1962)
ⓒ 2024 The Andy Warhol Foundation for the Visual Arts, Inc. / Licensed by
Artists Rights Society (ARS), New York - SACK, Seoul

미국 가수 밥 딜런의 노벨 문학상 수상 소식이 화제가 됐습니다.
음악의 대중성이나 예술성을 떠나 그가 지은 가사에 담긴 문학성
이 인정받은 것이지요. 대중가수가 노벨문학상을 받을 수 있다는
사실에 많은 이들이 놀라고 즐거워했지만, 다수의 문학인들은 이에
대해 불만을 토로하는 듯합니다. 시의 역사를 거슬러 올라가면 시

는 곧 노래였기에 밥 딜런의 가사 역시 시로 볼 수는 있겠지만, 시의 영역을 너무 넓게 확장한 게 아니냐는 비판이지요.

이러한 논란에 대해 저는 이중적인 생각을 합니다. 인간이 갖는 느낌과 생각을 함축적인 운율의 언어로 표현한 것이 시라면, 노래 가사가 시가 될 수 있는 이유는 충분합니다. 밥 딜런의 가사는 현실에 대해 날카로운 풍자를 담았으면서도 인생에 대한 심오한 메시지를 안겨주는 것으로 유명하니 그의 가사는 분명히 문학이라고 생각합니다. 그러나 다른 한편으로는 밥 딜런 말고도 훌륭한 시인이 많은데 가수로서 인기와 부를 누리는 그에게 노벨 문학상까지 주는 게 적절한지 하는 질문을 하게 됩니다. 노벨 문학상만큼은 인기와 부에 아랑곳하지 않고 오랜 시간 시인의 길을 묵묵히 걸어온 이들에게 주는 것이 더 맞지 않을까 하는 생각이 들었습니다.

밥 딜런의 노벨상 수상에 대해 생각해 보다가 자연스럽게 '미술의 역사 중에는 밥 딜런처럼 예술가로서 뚜렷한 족적을 남긴 동시에 대중적인 성공도 크게 얻은 화가들은 누가 있었지?' 하는 질문이 생겼습니다. 생각하다 보니 르네상스 시대 미켈란젤로와 라파엘로를 비롯해 루벤스, 피카소, 프리다 칼로 등 시대를 초월해 생각나는 화가들이 여러 명 있었습니다. 그러나 그들은 대중적으로 인기를 얻었다고 해도 기본적으로는 전통적인 기법으로 작품을 그린 정통화가들이었기에 밥 딜런과는 비교하기가 좀 어렵다는 생각이 들었습니다. 그러다가 떠오른 인물이 있었습니다. 작품의 예술성과 독창성도 충분히 인정받았으면서 동시에 폭발적인 대중의 인기도 누린 현대 화가, 바로 미국의 앤디 워홀(Andy Warhol·1928~1987)

163

입니다.

현대인이라면 누구나 들어 봤을 워홀은 상업미술로 시작해 팝 아트 운동을 주도했고 패션 디자이너이자 영화제작자로까지 활동한 인물이지요. 그는 독특한 그만의 방식으로 그의 미술을 대중화하는 데 천재적인 역량을 발휘하여 살아생전에 부와 명성도 거머쥐었습니다. 영향력 또한 지대했기에 포스트모더니즘을 추구하는 예술가들은 그에게서 크고 작은 영향을 받았습니다.

워홀은 슬로바키아 이민자의 후예로 태어났습니다. 카네기멜론대에서 상업미술을 공부한 뒤 잡지·광고 일러스트레이터로 일했고, 곧 팝 아트 운동을 이끄는 작가로 활동했습니다. 그가 이끈 팝 아트란 1950년대 중반 이후 미국과 영국에서 등장해 1960년대 후반까지 이어진 미술 운동입니다. 팝 아트 작가들은 추상표현주의에 내재한 과도한 주관성에 반대해 미술이 현실 세계로 돌아와야 한다는 문제의식을 가졌습니다. 그들이 주목한 것은 제2차 세계대전 이후에 등장한 대량 소비사회의 풍경이었고, 그들이 소재로 삼은 것은 수프 깡통이나 코카콜라 병 등과 같은 대량소비 상품, 연재만화, 신문 사진이나 광고 등이었습니다. 즉, 평범하고 진부한 것들을 재발견해 일반 시민에게 다가가 함께 호흡하려 했던 것이지요. 이러한 팝 아트를 대표하는 이들로는 로이 리히텐슈타인, 재스퍼 존스 등이 있지만, 가장 유명한 작가는 단연 워홀입니다. 워홀은 팝아트의 거장임과 동시에 미국적인 미술을 대표하는 화가라고도 볼 수 있습니다. 앞서 소개한 에드워드 호퍼가 20세기 전반을 대표한다면 워홀은 후반기를 대표하는 셈이지요.

'미국적인 미술'이라는 말은 미국 사회의 특징을 반영하는 미술이라고 해석할 수 있겠습니다. 미국은 이주민들이 세운 나라이기 때문에 영국, 프랑스, 독일 등 서유럽 국가들과 비슷하면서도 또 상당히 다르지요. 미국을 개척한 이들은 종교적 자유를 얻기 위해, 그리고 더 잘살기 위해 유럽을 떠난 유럽 사람들이기에 유럽인으로서의 정체성의 뿌리를 지녔지만 동시에 엘리트층이 주도하는 유럽 사회에 반감을 지녔었습니다. 흔히 미국을 대중문화가 가장 발전한 사회라고 말합니다. 미국에서 대중문화가 번성하게 된 데에는 유럽을 위시해 세계 각지에서 이주해 온 대규모의 인구가 원인이 됐지만, 미국으로 이주한 이들의 반(反)엘리트주의에서도 원인을 찾을 수 있습니다. 미국은 이렇게 태생적으로 대중사회에 친화적이었고, 미국 영화와 TV 등의 발전은 이 대중문화를 더 화려하게 꽃 피우는 역할을 했지요. 이런 흐름 속에서 자연스럽게 대중이 사회와 문화를 주도하는 게 미국 사회의 중요한 특징이 됐습니다.

20세기에 들어와 미술이 대중으로 멀어졌다는 사실은 부정하기 어렵습니다. 추상파와 초현실주의에서 볼 수 있듯 현대미술은 너무 전위적이거나 과도하게 심오했습니다. 이런 추상파나 초현실주의가 유럽적 미술 전통의 맥락에선 자연스러운 발전 과정이었을지 몰라도 대중사회를 지향하는 미국인의 시선에는 매우 난해하게 느껴졌을 것입니다. 미국에서도 잭슨 폴록이 주도한 추상표현주의가 상당한 관심을 모았지만, 대중이 추상표현주의를 제대로 이해하고 공감하기는 쉽지 않았을 것입니다.

이러한 흐름 속에 팝 아트가 등장하자 대중은 열광했습니다. 팝 아트 작가들은 추상적인 소재가 아닌 구체적인 소재에 주목했고, 일상에서 흔히 보는 것을 화폭에 담아 미술과 대중 간의 거리를 좁히려고 했습니다. 존스는 미국 국기를 캔버스에 담았고, 리히텐슈타인은 만화의 한 장면을 캔버스에 옮겨놨습니다. 이러한 시도는 미술과 비(非)미술 간의 경계를 허물고 있다는 점에서도 의미 있습니다. 대중들은 이런 가깝고도 기발하고, 단순하지만 멋진 미술 작품들을 점점 더 사랑하고 즐기게 되었습니다.

오늘 소개하는 워홀의 '200개의 수프 깡통'(200 Soup Cans·1962)은 팝 아트를 대표하는 작품입니다. 캔버스를 가득 채운 것은 당시 미국에서 유명하던 캠벨사의 수프 통조림입니다. 어느 집이나 사용하고 있는 이 흔한 수프 깡통을 200개나 그려 넣은 이 작품을 처음 보았을 때 사람들은 '이것도 미술 작품일까?' 하는 생각을 하게 되었지만 보면 볼수록 마음이 끌렸는지 워홀의 이 그림은 미국 역사상 가장 인기 있는 작품 중 하나가 되었습니다. 그런데 그는 왜 똑같은 것을 그렇게 많이 그렸을까요?

이 질문에 대해 제 나름대로 내린 답은 이렇습니다. 이 그림 속 깡통들은 현대를 살아가는 우리들의 모습을 닮았습니다. 기계화, 대중화한 문명 속에서 우리는 세계를 이루는 한 부속물처럼 살아갑니다. 사실 우리 일상도 저 깡통들처럼 늘 반복되는 비슷비슷하고 지루한 것이지요. 그렇지만 다른 시각으로 보이기도 합니다. 그림 속 깡통은 모두 똑같은 수프 깡통이지만 사실은 하나하나가 다 독립되어 사용됩니다. 똑같은 깡통이지만 하나하나가 다른 집으로 가서, 다른 이들을 위해 쓰입니다. 사람도 어찌 보면 비슷비슷하고 특별하지 않은 존재이지만 사실 한 명 한 명이 다 살아있고 중요한 존재이지요. 사람은 모두 자리에서 자신의 의미를 찾으려 애쓰며 열심히 살아갑니다. 그래서 제가 생각하는 워홀의 의도는 '뻔한 것의 중요성'입니다. 수프 통조림은 일상에서 흔히 보는 뻔한 것이지만 꼭 필요한 것입니다. 일상을 상징하는 여러 개 중에서 수프 깡통을 선택해 캔버스에 촘촘히 담음으로써 워홀은 미국적 대중사회의 일상을 보여주고 그것에 담긴 의미를 묻는 듯합니다.

또한, 워홀의 이런 시도는 심오한 관념 세계나 신화에서 탈피해 평범한 일상을 주목하고, 막 열리기 시작한 대량생산과 대량소비 사회의 현실을 알리고 재현한 것으로 보입니다. 미술의 대상은 미술가가 살던 사회의 발전을 반영합니다. 종교적 성화나 추상화와 같은 작품은 시간의 구속에서 벗어날 수도 있지만, 풍경화와 인물화와 같은 작품은 화가가 살던 시대의 구속을 받을 수밖에 없지요. 미국 미술가들의 작품은 특히 미국의 분위기를 잘 대변합니다. 앞서 본 호퍼의 그림이 20세기 전반 도시 생활의 풍경을 다채롭게 재현했다면, 워홀의 작품은 20세기 후반에 미국을 사로잡은 대중사회의 도래를 직접적으로 표현했습니다.

'8명의 엘비스(Eight Elvises·1963)'는 워홀의 팝 아트가 갖는 매력을 잘 드러내는 또 하나의 작품입니다. 이 작품은 캔버스에 실크스크린으로 작업한 것으로서, 워홀은 영화 '플레이밍 스타'의 홍보 포스터에 나오는, 총을 든 카우보이 포즈를 한 엘비스의 모습을 반복적으로 배치했습니다. 8명의 동일 인물이 반복해 나타나는 것을 제외하곤 영화 홍보 포스터에서 흔히 볼 수 있는 모습이지요.

8명의 엘비스 (Eight Elvises, 1963)

단순해 보이는 이 작품에서 저는 두 가지 방법에서 대중을 움직이는 위홀의 탁월성을 느낍니다. 우선 첫 번째로는 그의 포스트모더니즘적인 시도입니다. 그는 이 작품에서 영화 포스터를 변형한 것 역시 미술 작품이 될 수 있다는 사실을 보여주었습니다. 즉, 순수예술과 대중문화, 전통미술과 상업미술 간의 경계를 모호하게 하고 허물어 버림으로써 대중 속으로 성큼 들어갔습니다. 두 번째는 대중이 사랑하는 것은 실제의 모습이 아닌 '이미지'라는 사실을 알고 있었다는 것입니다. 이 작품에서 시선을 끄는 것은 엘비스 프레슬리의 '이미지'인데, 실제의 엘비스의 모습이 아닌 가수이자 영화배우인 엘비스의 이미지입니다. 그것도 8명의 엘비스가 대중을 향해 자신을 드러냅니다. 대중문화가 생산하는 이미지를 끝없이 소비하면서 살아가는 것은 대중사회의 중요한 특징입니다.

나아가 워홀은 상품의 대량생산처럼 미술 작품도 공장처럼 운영해 생산했습니다. 그가 운영한 '팩토리'(the factory, 스튜디오 이름)에서 조수들 역시 작품 제작에 참여했습니다. 그는 최종 완성품에서 자신의 손길을 지워버렸습니다. 원본의 실제보다 복제본의 이미지가 더 큰 영향력을 행사하는 게 포스트모더니즘의 특징이라면, 그는 이를 자신의 작품 활동에서 실천했습니다.

워홀의 작품들은 새로움과 진부함을 동시에 안겨줍니다. 미술에 대한 고정관념을 과감히 깨고 우리 삶에 밀착한 미술을 선사한다는 점에서 신선합니다. 아니 신선함을 넘어서 파격적입니다. 하지만 그와 동시에 그의 그림은 진부합니다. 곰곰이 곱씹을 만한 매력적인 스토리도 안 보이고, 눈부신 자연이나 역동적인 인물도 없습니다. 그저 우리 주변에서 자주 볼 수 있는 소재가 주인공이고, 그 이미지가 단순하게 반복됩니다.

밥 딜런도 앤디 워홀도 대중성과 예술성을 모두 거머쥔 행운아들입니다. 이들이 처음부터 미리 이런 방향을 추구하여 얻어낸 결과인지, 아니면 자신이 좋아하는 일을 깊이 파다 보니 의도하지 않게 이런 풍성한 결과를 얻었는지는 우리는 알 수 없습니다. 다만 그들이 대중의 마음을 정확히 파악하고 그들의 삶에 깊이 공감하던 예술가였던 것은 확실합니다. 그들이 불공평하리만큼 많은 것을 독차지한 것은 사실이지만 예술을 포기하지 않으면서도 대중의 마음을 움직인 그들의 재능과 노력에 박수를 쳐주지 않을 수는 없습니다.

20. 프리다 칼로 : '상처 입은 사슴',
'우주, 대지(멕시코), 디에고, 나 그리고 세뇨르 솔로틀의 사랑의
포옹'

상처 입은 사슴 (The Wounded Deer, 1946)

나라마다 문화 차이가 있음을 제대로 깨닫게 된 것은 길지 않은
미국 생활에서였습니다. 이제까지 세 번 미국 캘리포니아에서 지낸
적이 있습니다. 샌프란시스코에서 멀지 않은 작은 도시에 친정엄마
와 언니 가족이 살고 있기 때문입니다. 실리콘밸리라 불리는 그곳

에선 미국 사람 외에 한국 사람은 물론 중국·인도·멕시코 사람 등 다양한 이들을 만날 수 있었습니다. 그중 제 시선을 끈 이들은 멕시코 사람들이었습니다. 그들의 외모를 두고 하는 이야기가 아닙니다. 그들의 생활 방식이 눈에 띄었습니다. 피상적으로 관찰한 것이겠지만 제가 주목한 것은 서양 사람들과는 달리 공동체를 대하는 그들의 생활 태도였습니다. 그들은 우리 동양인들 못지않게 가족과 이웃을 중시하는 것으로 보였습니다. 남자를 우선시하는 가부장적인 문화도 우리와 비슷한 것 같았습니다.

광복 이후 우리나라 문화는 미국과 서유럽의 문화에 익숙합니다. 미국, 영국, 프랑스, 독일 문화가 그것이지요. 반면에 스페인과 포르투갈로 대표되는 라틴 유럽 문화는 가깝게 느껴지지 않습니다. 같은 라틴 유럽에 속해 있지만, 이탈리아 문화는 그래도 익숙한 편인 데 반해, 멕시코에서 아르헨티나까지 큰 영향을 미친 스페인 문화는 여전히 낯설게 느껴집니다.

멕시코와 중앙아메리카, 그리고 남아메리카는 그곳 땅을 정복한 스페인으로부터 큰 영향을 받았습니다. 그렇다고 해서 이 라틴아메리카 문화가 유럽에 있는 스페인 문화의 복사본은 아닙니다. 스페인 문화로부터 영향을 받았으되 스페인이 정복하기 전 그곳에 살고 있던 원주민 토착문화로부터도 영향을 받았기 때문입니다. 비록 우리에게는 익숙하지 않아도 라틴아메리카 문화는 오늘날 지구적으로 매우 중요한 위치를 차지하고 있습니다.

이러한 라틴아메리카 문화를 생각할 때 제게 떠오르는 예술가는 단연 멕시코의 프리다 칼로(Frida Kahlo·1907~1954)입니다. 칼로는 정말 독특한 느낌을 안겨주는 여류화가입니다. 칼로의 작품들을 처음 보았을 때 제가 느낀 느낌을 한마디로 표현하라면 '서늘함'이었습니다. 영어로 말하면 '쿨(cool)'의 느낌이 아니라 '칠리(chilly)'의 느낌입니다. 기분 좋은 시원함이 아닌 낯설고 차갑게 느껴지는 그런 서늘함 말입니다. 하지만 그런 느낌이 싫었던 것이 아닙니다. 서늘함은 강렬한 충격을 불러일으켰고, 시간이 흐르면서 그것은 잊기 힘든 묘한 매력으로 남게 되었습니다.

칼로의 작품들을 보면서 제 머리에 정리되는 언어는 '상처'와 '사랑'입니다. 칼로가 작품에 담은 상처에 대한 공감과 그 상처를 치유하려는 사랑에 대한 공감이 제가 칼로에게 느끼는 매력의 실체입니다.

어떤 화가도 자신의 삶과 유리된 작품을 그리지 않습니다. 구상화든 추상화든 작품은 그 화가의 삶, 다시 말해 화가가 갖고 있는 느낌과 생각을 반영하고 있습니다. 칼로의 작품 역시 마찬가지입니다. 칼로는 참으로 극적인 인생을 산 화가입니다. 칼로를 얘기할 때 언급하지 않을 수 없는 그의 육체적인 고통은 감히 상상이 되지 않을 정도로 심각한 것이었습니다. <소아마비, 왼쪽 다리 11곳 골절, 오른발 탈골, 왼쪽 어깨 탈골, 요추·골반·쇄골·갈비뼈·치골 골절, 버스 손잡이 쇠봉이 허리에서 자궁까지 관통, 그리고 척추 수술 일곱 번을 포함해 총 서른두 번의 수술, 오른쪽 발가락 절단에 이어 무릎 아래 절단, 세 번의 유산> 이것이 칼로의 병원 기록이었고, 이런 심각한 육체적 고통과 더불어 평생 그 후유증을 앓아야 했습니다.

심리 갤러리

더욱 안타까운 것은 그의 아픔은 육체적인 것에만 머무르지 않았다는 사실입니다. 그가 평생 유일하게 사랑한 남편 디에고 리베라와 관계는 칼로가 정신적으로도 고통을 느끼는 이유였습니다.

리베라는 20세기 멕시코를 대표하는 화가입니다. 칼로는 스물한 살이나 많은 리베라와 결혼했습니다. 칼로와 리베라는 서로 사랑했지만 리베라는 바람기가 많은 사람이었습니다. 그는 칼로가 아닌 다른 여성들과 끊임없이 추문을 일으켰고, 육체적으로 아픈 칼로의 분노와 슬픔은 말로 표현하기 어려운 것이었겠지요. 칼로와 리베라는 결혼했고, 이혼했으며, 다시 결혼했습니다. 이런 이력이 보여주듯 두 사람의 관계는 매우 복잡했지만 칼로는 평생 리베라만을 진정으로 사랑했습니다. 육체적 상처와 정신적 고통, 그리고 리베라에 대한 사랑이 칼로의 작품에는 생생히 담겨 있고, 현대에 사는 우리들은 그림을 통해 그녀의 사랑이 얼마나 컸고, 그 고통은 얼마나 깊었는지를 확인할 수 있습니다.

칼로의 작품들 가운데 제게 가장 인상적인 작품은 '상처 입은 사슴(The Wounded Deer·1946)'입니다. 숲속에 여러 개 화살을 맞아 상처 입은 수사슴이 있습니다. 화살을 맞고 피 흘리는 사슴은 더없이 애처롭습니다. 그런데 자세히 보면 이 사슴의 얼굴은 바로 칼로 자신의 얼굴입니다. 붉은 피를 흘리는 사슴은 숱한 상처로 고통받은 칼로의 삶을 보여주는 것입니다. 그렇게 해석하고 보니 사슴을 둘러싼 빽빽한 나무는 그의 삶이 처한 고난을 은유하는 것처럼 보입니다.

제가 칼로의 이 그림을 보면서 제일 주목한 것은 칼로의 표정이었습니다. 화살이 온몸이 박혀 피를 뚝뚝 흘리고 있음에도 불구하고 칼로의 얼굴은 고통스러워하지도, 울지도, 절망지도 않습니다. 오히려 담담하고 아무 일 없다는 듯한 표정입니다. 또 하나 흥미로운 점은 이 작품의 하단에 칼로가 'Frida Kahlo. 46.'이라고 적어두었고 이어서 '카르마(Carma)'를 덧붙여 놓았다는 점입니다. 카르마는 불교 용어인 '업(業)'을 말합니다. 업이란 미래에 선악의 결과를 가져오는 원인을 이루는 행위를 뜻한다고 합니다. 칼로는 과연 어떤 마음에서 이런 처절한 그림 속에 자신의 담담한 얼굴을 그려 넣고 '업'이란 말을 적어둔 것일까요? 현재 자신의 불행이 과거의 잘못된 행위에서 비롯된 어쩔 수 없는 것이라고 생각한 것일까요?

작품을 보며 이런저런 생각을 하다가 저는 칼로가 남긴 말, "나는 다친 것이 아니라 부서진 것이다. 하지만 내가 그림을 그릴 수 있는 한 살아 있음이 행복하다."는 말이 떠올랐습니다. 자신을 둘러싼 현실은 너무나 고통스럽지만 그림을 사랑하고, 그 그림에 몰두함으로써 그 고통을 이겨내고 작품을 탄생시키는 한 그의 굳은 의지가 놀랍습니다.

'우주, 대지(멕시코), 디에고, 나 그리고 세뇨르 솔로틀의 사랑의 포옹(The Love Embrace of the Universe, the Earth (Mexico), Diego, Me and Senor Xolotl'(1949·이하 '사랑의 포옹')은 칼로의 작품 가운데 제가 가장 좋아하는 그림입니다. 신비로우면서도 감히 범접할 수 없는 사랑의 힘이 느껴지는 작품이기 때문입니다.

이 작품을 처음 보았을 때 저는 칼로의 상상력에 놀랐습니다.

우주에서 개('솔로틀'은 칼로의 애견이었다고 합니다)에 이르는, 거대한 세계에서 미시적 일상까지 캔버스에 담아내는 그의 놀라운 상상력이라니. 작가가 캔버스에 담을 수 있는 가장 큰 대상은 우주일 터인데, 우주를 이렇게 간결하면서도 신비롭게 재현한 작품은 '사랑의 포옹' 말고 또 다른 것이 있을까요?

우주, 대지, 디에고, 나, 그리고 세뇨르 솔로틀의 사랑의 포옹

(The Love Embrace of the Universe, the Earth, Diego, Me and Senor Xolotl, 1949)

경이로운 것은 그 광활한 우주에서 느껴지는 사랑의 느낌입니다. 작품을 찬찬히 보면, 칼로는 아기 리베라를 안고, 대지의 여신은 칼로를 안고, 우주의 신은 대지를 안고 있습니다. 주인공들의 얼굴은 무표정하고, 칼로의 목에는 피가 흐르고 있고, 대지의 여신 목도 찢어져 있습니다. 그러나 놀라운 것은 그림에 실제 담겨 있는 모습이 이렇게 서늘하고 무서운데 그림이 전달하는 메시지는 회복과 사랑임이 분명해 보인다는 사실입니다. 대지의 여신의 찢어진 목의 상처에서는 젖이 흘러나옵니다. 크고 따뜻한 손들은 돌보아야 할 대상들을 품어 인물들의 무표정에 생기를 불어넣고 있습니다. 칼로는 이 그림을 통해 자신을 그토록 아프게 한 운명을, 자신을 배신한 리베라를 여전히 보살피고 사랑하고 있음을 보여주려 한 것이었을까요?

이 작품은 칼로의 삶과 정신을 압축적으로 보여주는 듯합니다. 나=디에고(남편)=대지=우주로 이어지는 중첩되고 확장되는 이미지는 대상을 나와 구별하는 서구의 분석적 세계관과는 사뭇 다른 것입니다. 이성의 시각에선 대상과 내가 분리되지만, 존재의 차원에선 대상과 나는 하나일 수 있습니다. 나와 대상은 존재의 사랑을 통해 하나가 되고, 하나가 된 그 사랑은 다시 대지에 대한 사랑으로, 우주에 대한 사랑으로 퍼져나갑니다.

'사랑의 포옹'을 직접 본 것은 2015년 올림픽공원에 있는 소마미

심리 갤러리

술관에서였습니다. 저는 이 작품 앞에 오래 서 있었습니다. 저는 프리다 칼로라는 천재 화가의 웅장한 스케일과 표현력에 압도되었고, 한 여자가 피를 흘리면서도 지켜내려 했던 애증이 가득한 사랑 때문에 마음이 아팠습니다.

'사랑하다가 죽어버려라'라고 노래한 시인은 정호승입니다. 저는 세상에서 가장 강한 사람이 나를 배려해 주지 않는 이조차 묵묵히 사랑하는 이들 같습니다. 최선을 다해 사랑하다가 이 세상을 돌연 하직한 삶, 그것이 바로 칼로의 인생이었다고 한다면, 제가 칼로의 슬픔과 고통을 너무 가볍게 파악하는 것일까요? 저는 칼로의 삶은 고통스러웠지만 최고로 순수하고 아름다운 것이었다고 생각합니다.

심리 갤러리

제 4 부
한국 미술

21. 정선 : '인왕제색도', '압구정'

인왕제색도 (仁王霽色圖, 1751)

저희 아버지는 고고학을 공부하셨습니다. 어린 시절 살았던 집 마당에는 값비싼 것들은 아니었지만 크고 작은 유물들이 많이 있었습니다. 아버지의 서재에는 고고학과 고미술에 관한 자료가 빼곡히 쌓여 있었고, 여기저기에 골동품도 놓여 있었습니다. 아버지는 고서화나 골동품을 감상할 때 가장 행복해하셨습니다. 서재에서 오래된 글씨나 그림을 바라보는 아버지의 눈빛은 언제나 그윽했고, 그 작품들을 뚫어지게 보실 때는 종종 넋을 잃은 듯한 표정을 짓곤 하셨습니다.

그때는 그런 아버지의 모습이 눈에 잘 들어오진 않았습니다. 낡은 그림이나 유물들도 멋지게 보이지 않았습니다. 도리어 너무 낡고 구질구질하다는 생각이 들곤 했고, 이 물건들로 인해 안 그래도 다른 친구들의 아버지들보다 나이가 많은 아버지가 할아버지처럼 느껴지기도 했습니다.

대학에 들어가서도 고미술이나 순수미술을 좋아하거나 즐기지는 않았습니다. 사회과학과 인문학을 전공했고, 그 나이대가 다 그렇듯이 저 역시 신나고 세련된 대중문화를 좋아했기에 했기 때문에 순수예술은 재미없고 고리타분하게 느꼈지요. 동양화를 볼 때마다 무의식적으로 이유 모를 설렘이 있었지만 그렇다고 고미술을 따로 공부하고 싶은 마음은 들지 않았습니다.

제가 미술에 관심을 갖게 된 것은 대학원에 들어와 상담학을 배우면서 인간의 슬픔, 외로움, 아픔, 생명력, 희망에 가까워지기 시작하면서부터입니다. 상담학은 마음을 다루는 학문입니다. 마음이 다쳐서 온 이들과 함께 아픈 이야기를 나누고 냉랭해져 버린 내담자의 닫힌 마음의 온기를 함께 찾는 작업을 하면서, 또한 저의 무의식과 숨겨진 마음 역시 들여다보면서 인간의 마음의 깊은 곳을 위로하는 좋은 도구 중 하나가 미술임을 알게 됐습니다. 미술이 사람의 마음 깊은 곳을 터치하고 공감한다는 것을 느끼면서 저는 미술 작품들에 매혹됐고, 미술 관련 서적들을 읽어보고 전시회를 찾아다녔습니다. 그리고 이 과정에서 비로소 오래전 고서화와 골동품을 그윽하게 바라보시던 아버지의 마음을 조금이나마 이해할 수 있게 됐고, 때로는 아버지에 대한 무의식적 그리움이 결국 저를 미술 작품들에게로 이끌어 간 것이 아닌가 하는 생각도 하게 되었습니다. 한국 미술은 제 마음을 가장 깊은 무의식을 터치하는 그림입니다.

저는 우리 역사에서 한국의 자연을 그린 이들 가운데 가장 위대한 화가로 겸재(謙齋) 정선(鄭敾·1676~1759)을 꼽고 싶습니다. 우리 자연을 있는 그대로 그린 정선의 작품은 새삼 우리 자연의 아름다움을 일깨워 주고, 그 안에 깃든 역사의 의미를 돌아보게 합니다.

널리 알려졌듯이 정선은 진경산수화(眞景山水畵)의 개척자이자 완성자였습니다. 그는 중국풍의 관념산수화에서 벗어나 우리 산하를 독자적인 방식으로 화폭에 담아내려 했던 화가였지요. 하지만 정선이 자연을 있는 그대로 똑같이 재현하려 한 것은 아닙니다. 정선을 오랫동안 연구한 최완수 선생에 따르면, 정선은 우리 산과 바다, 들과 하천을 표현하기에 적합한 그림 기법을 만들어 냈습니다. 그의 설명에 의하면, 정선의 방법은 북방 화법의 기법인 '선묘'와 남방 화법의 기법인 '묵법'을 이상적으로 조화시킨 것으로서 바위 봉우리로 이뤄진 골산(骨山)은 선묘로, 수목이 우거진 토산(土山)은 묵법으로 표현하여 두 가지 산의 모습을 조화롭게 담아냈다고 합니다.

정선은 한양, 금강산, 관동지방 등을 즐겨 그렸는데, 그가 그린 조선 왕조의 수도 한양의 풍경 그림을 보면서 현재의 서울의 모습과 비교해 보는 작업은 재미있습니다. 정선이 주로 활동한 시기는 영조 시대인데, 장구한 자연의 시간 속에서 볼 때는 300년이라는 시간이 긴 시간이 아닐 수도 있겠지만, 그의 한양 그림을 지금의 서울의 모습과 비교해 보면 근대화가 가져온 빠른 도시화가 서울의 모습을 얼마나 크게 바꾸어 놓았는가를 확인할 수 있습니다.

그의 말년에 그린 '인왕제색도'(仁王霽色圖·1751)는 단연 정선의 대표작으로 꼽힙니다. '금강전도' '박연폭포' '인왕제색도'를 정선의 3대 명작으로 꼽는다면, 유홍준 선생은 이 가운데서도 '인왕제색도'가 으뜸이라고 했습니다. 이러한 견해에 저 역시 동감합니다. 한양 한가운데 놓인 인왕산의 바위봉우리가 비안개가 걷히며 드러나는 모습을 생동감 있게 담아 놓은 인왕제색도는 우리나라 국보 제216호로 지정되기에 충분한 가치가 있지요. 이 작품은 현재 리움미술관에 소장돼 있습니다.

미술평론가들은 정선이 이 작품에서 바위나 소나무를 그리는 데 매우 섬세한 기법을 활용했다는 데 주목하지만, 이런 세세한 기법을 고려하지 않고 이 작품을 보아도 우리 산의 당당함과 아름다움을 동시에 보여주고 있다는 사실만으로도 감동을 느낍니다. 사실 서울 시내에서 쉽게 바라볼 수 있는 인왕산은 그렇게 높은 산이 아닙니다. 서울 시민의 일상생활 속에 들어온 산이지요. 그러나 작품 속 인왕산 큰 바위는 우리 산천을 소중히 여기고 자부심을 갖는 굳건한 정선의 마음을 드러내는 것 같습니다.

'인왕제색도'는 일종의 한국적 사실주의 풍경화입니다. 사실주의 회화가 주는 감동의 원천은 우리 삶과 매우 밀접히 연관돼 있다는 데서 찾을 수 있겠습니다. 예를 들어, 누구나 한 번쯤 가봤을 광화문광장에서 문득 인왕산을 바라봤을 때 어디선가 본 적이 있을 '인왕제색도'를 떠올리고, 자연스레 우리의 역사와 현재 모습을 비교해보게 된다면 그것이 한국적 사실주의 회화를 삶에서 경험하는 것이지요. 생활 밖에 있던 예술이 생활 안으로 성큼 들어오는 지점입니다.

지금 제가 사는 집은 인왕산과 차로 10분 거리밖에 되지 않습니다. 제가 좋아하는 서촌에서는 어디서든 고개를 들면 훤칠한 인왕산이 눈에 들어옵니다. 인왕산 아래에는 역시 제가 좋아하는 동네인 누상동도 있습니다. 누상동은 일제 강점기에 시인 윤동주가 하숙한 동네이기도 합니다. 당시 연희전문을 다니던 윤동주는 1941년 5월부터 9월까지 에서 살았다고 전해지는데, 몇 년 전 그가 살던 한옥을 물어 찾아가 보니 지금은 연립주택이 되어 있었습니다. 연립주택으로 변해 있는 모습에 무엇인가 아쉬운 마음은 들었지만 이 곳에서 윤동주가 영혼이 깃든 시들을 썼다고 생각하니 마음에 숙연해지고 감동이 있었습니다.

돌과 돌과 돌이 끝없이 연달아 / 길은 돌담을 끼고 갑니다. // 담은 쇠문을 굳게 닫다 / 길 위에 긴 그림자를 드리우고 // 길은 아침에서 저녁으로 / 저녁에서 아침으로 통했습니다. // 돌담을 더듬어 눈물짓다 / 쳐다보면 하늘은 부끄럽게 푸릅니다.// 풀 한 포기 없는 이 길을 걷는 것은 / 담 저 쪽에 내가 남아 있는 까닭이고, // 내가 사는 것은 다만, / 잃은 것을 찾는 까닭입니다.

윤동주가 누상동에 살던 1941년 9월에 쓴 시 '길'의 일부입니다. '담 저쪽에 남아 있는 나', 그리고 잃은 것을 찾는 삶', 이 구절은 나라를 잃은 식민지의 현실 속에서도 희망을 일지 않으려 한 윤동주의 의지를 드러내 주는 글귀겠지요. 정선과 윤동주는 다른 시대를 산 사람들이지만 저는 이들에게서 공통점이 느껴집니다. 인왕산 주변이라는 같은 공간에서 조국이라는 같은 대상을 사랑한 점이 바로 그것이지요.

압구정 (鴨鷗亭, 1741)

서울을 그린 정선의 작품 가운데 또 하나의 인상적인 작품은 '경교명승첩'(1740~1741)입니다. 정선은 65세에 양천 현령으로 임명되자 오랜 벗인 사천 이병연과 '이병연이 쓴 시에는 정선이 그림을 그리고, 정선이 그린 그림에는 이병연이 시를 쓰기'로 약속을 하였습니다. 두 사람의 우정이 얼마나 깊고 즐거운 것이었는지 상상이 되는 약속이지요. 그렇게 해서 나온 작품이 '경교명승첩'인데, 간송미술관에 소장된 이 작품집은 양평 두물머리 부근에서부터 양천구 일대의 한강 하류 유역까지 한강 주변의 명승지 33곳의 풍경을 담고 있습니다.

이 가운데 특히 제 눈길을 끈 작품은 '압구정(鴨鷗亭)'입니다. 압구정은 세조 때 활동한 정치가 한명회가 지은 정자로, '갈매기와 친하게 노니는 정자'라는 의미라고 합니다. 이 작품은 휘돌아 흐르는 한강을 간결하면서도 아름답게 묘사했습니다. 언덕 위에는 압구정이 우뚝 솟아 있고, 아래에는 양반들 별장이 눈에 들어옵니다. 왼쪽에는 청계산과 우면산이 보이고, 오른쪽에는 남산과 그 뒤의 북한산 연봉이 이어졌습니다. 이 그림을 보면서 자연스럽게 떠오르는 생각은 과거와 현재의 압구정의 모습 간의 비교였습니다. 요즘의 압구정동은 서울의 부촌을 상징하는 곳이 되었지요. 저렇게 한갓지던 압구정에 이제는 수십억을 호가하는 비싼 아파트가 즐비하게 들어섰고, 정선이 압구정을 바라보던 그 조용함은 찾아보기 힘드니 변화된 서울의 모습이 쓸쓸하기도 합니다. 하지만 동시에 동호대교와 성수대교 사이를 휘돌아 흐르는 한강은 옛날이나 지금이나 그대로 흐르고 있으니 역시 영원한 것은 자연밖에 없나 봅니다.

정선은 양반 출신임에도 전문적인 화가의 길을 걸었습니다. 그의 그림은 우리 자연을 사랑하고, 그 자연을 존중하면서 민족에 대한 자부심을 지니고 살아가려고 했던 그의 마음을 드러낸 것이라고 저는 생각합니다. 정선이 주목한 것은 우리 자연의 당당함과 아름다움이지요. 그래서 허구의 관념 속 자연이 아니라 실제의 현실 속

심리 갤러리

우리 산하의 자연을 그렸을 것입니다. 정선이 위대한 화가인 까닭은 바로 우리 것, 우리 산천을 독자적인 방식으로 화폭에 담아냈다는 데 있습니다. 정선의 작품을 통해 우리는 우리 자연을 재발견하고, 다시 감동합니다.

나라를 이루는 가장 소중한 것은 산천과 사람일 것입니다. 우리 것이기 때문에 우리 산천이 가장 아름답고 그 안에서 살아가는 사람들은 더욱 소중합니다. 오늘은 오랜만에 가까운 누상동에 가서 향기로운 차를 마시고 싶습니다.

22. 김정희 : '세한도', '부작란도'

세한도 (歲寒圖, 1844)

오늘은 서예가 들어간 작품을 소개하고자 합니다. 저는 솔직히 서예 작품을 음미하지 못합니다. 그림은 모양과 형태가 확실하고 분명해서 해석하기 어렵지 않지만 서예는 언뜻 보면 형태도 다 비슷하고 색도 단순하니 강력한 감동이 없고 글쓴이의 뜻을 어떻게 해석하고 받아들여야 할지 잘 모르겠습니다. 하지만 한국 고미술의 전문가들은 서예야말로 한 사람의 기개와 정신이 가득 담긴 작품이고, 그의 인격과 메시지를 드러내는 것이라고 합니다. 저희 아버지께서도 서예 작품을 보물 다루듯이 하셨던 것을 보면 아직 제가 모르는 어떤 깊은 정신이 그 글씨들 안에 가득 담겨 있는 것은 사실일 것 같다는 생각이 듭니다.

심리 갤러리

오늘 살펴볼 그림은 추사 김정희(秋史 金正喜·1786~1856)의 작품입니다. 추사체로 널리 알려진 김정희는 조선시대를 대표하는 서예가입니다. 또한 조선 후기에 활동한 정치가이자 학자, 그리고 예술가입니다. 학문과 예술 분야에서 전통 사회의 마지막을 화려하게 장식한 지식인이라고 설명할 수 있습니다.

김정희를 대표하는 그림은 '세한도(歲寒圖, 1844, 국보 제180호)'입니다. 세한도는 정선의 산수화, 김홍도의 풍속화와 함께 한국인이면 누구나 한 번쯤은 보고 배우는 작품입니다. 정치적으로 좌절한 제주도 유배 시절에 그렸던 이 작품에는 그의 쓸쓸한 마음이 고스란히 묻어납니다. 그러나 동시에 쓸쓸함을 담담하고 의연하게 견뎌내려는 고귀한 선비 정신도 담겨 있습니다.

작품엔 창문 하나가 달린 작은 집이 있습니다. 그리고 집에 기댄 듯 서 있는 소나무 한 그루와 잣나무 세 그루가 서 있습니다. 소박한 초옥 한 채와 나무 몇 그루가 고적한 쓸쓸한 한겨울의 느낌을 전달해 줍니다. 작품의 제목도 날이 추워진다는 의미를 가진 '세한(歲寒)'에서 따왔습니다. 김정희는 그림 뒤에 다음과 같은 글을 적었습니다.

'세상 사람들은 권력이 있을 때는 가까이하다가 권세의 자리에서 물러나면 모른 척하는 것이 보통이다. 내가 지금 절해고도에서 귀양살이하는 처량한 신세인데도 이상적이 예나 지금이나 변함없이 이런 귀중한 물건을 사서 부치니 그 마음을 무어라 표현해야 할까.'

헌종 때 김정희는 제주도 대정으로 유배를 가야 했습니다. 권력투쟁에서 밀려난 것이지요. 그의 글을 읽으니 권력을 가졌을 때는 누구나 우러러보고 두려워하지만 권력을 잃으면 교류가 끊어지고 주변으로부터 소외되는 것은 그때도 지금과 마찬가지였던 것이지요.

진정한 의리와 사랑이 빛을 발하는 것은 바로 이런 때입니다. 내가 권력을 잃어도 나를 좋아하고 존중하는 이가 진정한 친구이겠지요. 김정희에겐 제자인 역관 이상적이 그런 인물이었습니다. 중국에서 귀한 책을 구한 이상적은 그 책을 권력자가 아닌, 귀양살이를 하는 스승에게 선물하였고, 김정희는 감동하지 않을 수 없었던 거지요.

앞의 문장에 이어 김정희는 다음과 같이 적었습니다.

"공자는 '세한연후(歲寒然後) 지송백지후조(知松柏之後凋)'라 했으니, 그대의 정의야말로 추운 겨울 소나무와 잣나무의 절조(節操)가 아닐까."

'세한연후 지송백지후조'란 공자와 그의 제자들의 언행을 다룬 유교의 고전 '논어(論語)'에 나오는 구절로서 추운 계절이 돼야 소나무, 잣나무가 시들지 않음을 알게 된다는 뜻이라고 합니다. 찾아오는 이 거의 없는 제주도 대정에 유배 와서 김정희는 새삼 권력과 인간과 의리를 생각하게 된 것이겠지요. 그리고 소나무, 잣나무와 같은 제자 이상적의 아름다운 의리를 이렇게 칭찬하고 있습니다.

심리 갤러리

'세한도'가 감동적인 것은 어려운 시절에 나누는 의리와 사랑을 드러낸 그림이기 때문입니다. 사람이라면 누구나 살아가면서 최소 한두 번은 어려운 시절을 겪게 되지요. 가장 좌절하고 고통스러운 순간에 내 곁을 지켜주고, 변하지 않는 이들이 있다면 그는 혹독한 시련의 시기를 결국 이겨낼 수 있습니다. 제가 상담한 많은 분들이 떠오릅니다. 그분들 중에는 어려운 시기를 이겨내고 결국 더 행복하고, 편안한 삶을 이뤄내신 분들도 여럿 계십니다. 그런데 그분들에게는 공통점이 있었는데 폭풍우의 한가운데 같은 어려운 상황에서도 믿고 의지할 수 있는 소중한 사람이 주위에 있었다는 것입니다. 가장 의지가 되는 단 한 사람만 있어도 절망을 이겨내는 것을 보고 저는 인간에게 의리와 사랑이 얼마나 중요한 것인지 깨닫곤 했습니다.

  세한도는 이처럼 신뢰의 소중함을 일깨워 주는 그림이면서 동시에 삶의 고난을 의연하게 견뎌내는 기품의 의미를 생각하게 하는 작품이기도 합니다. 저는 세한도를 볼 때면 추사가 느꼈을 고통 앞에서 마음이 숙연해집니다. 당대 최고의 지성인으로 추앙받던 그가 이토록 적막하고 외로운 곳에서 홀로 지내야 했을 때 그가 느낀 절망과 좌절의 크기는 어떤 것이었을까요. 세한도를 보고 있노라면 지금도 춥고 외로운 곳에 추사가 홀로 있을 것 같은 느낌이 듭니다.

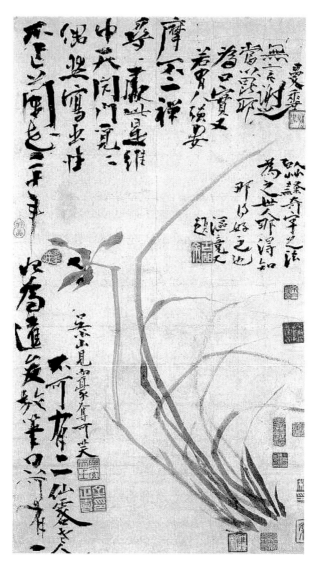

부작란도 (不作蘭圖, 1800년대)

심리 갤러리

추사의 작품 가운데 시선을 끈 또 하나는 '부작란도(不作蘭圖)'
입니다. 제주와 북청에서 긴 유배 생활을 하고 돌아온 후 그린 것
으로 알려진 이 작품은 '불이선란도(不二禪蘭圖)'라 하기도 합니
다.

'부작란도'는 그림과 글씨가 어우러진 독특한 작품입니다. 그림
한가운데엔 한 포기 난초가 놓여 있습니다. 난초는 바람에 흔들리
는 것처럼 오른쪽으로 휘어져 있지만 꽃은 그 반대인 왼쪽에 피어
있고, 자유분방하게 솟아오르는 기운이 한껏 느껴집니다. 여백에는
글씨가 가득 씌어 있는데 화려하고도 수려한 글씨는 그림의 한 부
분이 되기에 충분해 보이고, 역시 왜 추사가 추사인지를 드러내 주
고 있습니다. 그리고 여백 맨 위에 쓰인 글들은 이 작품을 이해하
는 통로를 제공합니다.

'난초 꽃을 그리지 않은 지 20년 만에 뜻하지 않게 깊은 마음속의
하늘을 그려냈다. 문을 닫고 마음 깊은 곳을 찾아보니 이것이 바로
유마힐(維摩詰)의 불이선(不二禪)이다.'

김정희에게 난초를 그리는 행위는 대상을 객관적으로 재현한다기
보다는 마음속의 하늘, 즉 맑고 푸른 정신의 세계를 드러내는 일었
음을 알 수 있는 내용입니다. 그것은 불교에서 말하는 유마거사의
'불이선'과도 같은 깨달음이었나 봅니다. '불이(不二)'란 둘이 아니
라 하나라는 의미이지요. 또한 난초 오른쪽에 쓰인 글은 이렇습니
다.

'(난을) 초서(草書)와 예서(隸書)의 이상한 글씨체로 그렸으니 세상 사람들이 어찌 이를 이해하고 어찌 이를 좋아할 수 있으랴.'

김정희는 글씨를 쓰듯 난을 그렸습니다. 그에게 글씨를 쓰는 것과 난을 그리는 것은 동일한 의미였음이 분명합니다. 바로 서화일치(書畵一致)란 이를 두고 한 말입니다. 앞서 말한 '불이'에도 대응하는 것이지요. 글씨와 그림은 하나이고, 미술 작품을 만드는 것과 정신의 고결함을 간직하는 것도 하나라는 게 김정희가 생각한 예술관인 듯합니다.

여자인 저에게 조선시대의 정신과 문화는 받아들이기 어려운 것들이 많습니다. 기본적으로 가부장주의를 중심으로 하고 있기 때문입니다. 하지만 '세한도'가 보여주는 깊은 의리와 선비 정신과 '부란작도'에 나타난 깊고 고결한 정신은 복잡한 현대사회에 사느라 산만해진 제 마음에 깨끗하고 고결한 정신을 선물로 줍니다.

미술은 시대에 따라 변화합니다. 하지만 미술에 담긴 정신은 시간의 구속을 넘어서기도 합니다. 추사의 그림은 어떤 서양 화가의 그림에 비교해도 뒤지지 않는 강건함과 고상함을 지니고 있고, 그 힘은 지금도 고스란히 전해지고 있습니다.

23. 김환기 : '어디서 무엇이 되어 다시 만나랴', '피난 열차'

부암동 환기미술관 안내판.
1992년 개관했다.

　인간은 이성적인 존재이면서 동시에 감정적인 존재입니다. 수
많은 선택으로 이뤄진 인간의 삶에서 옳고 그름, 선함과 나쁨,
합리적인 것과 비합리적인 것을 판단하고 선택하는 기준을 제공하
는 이성은 개인의 삶을 기획하고 만들어 나가는 핵심 능력입니다.
그러나 아이러니컬하게도 우리 삶을 더 강하게 지배하는 것은 감
정입니다. 어떤 사물이나 현상을 대할 때 감정은 언제나 이성보다
앞서 도착하고, 이성의 선택과 판단에 큰 영향을 미칩니다. 이 감

정은 때때로 이성으로부터 독립해 존재하며, 우리 마음을 마구 뒤흔들어 놓고 갑니다. 기쁨과 즐거움, 슬픔과 아쉬움, 고독과 외로움, 분노와 두려움에 이르기까지 감정의 색깔은 무한합니다.

오늘은 이런 감정 가운데에서도 고독에 대해 생각해 보고자 합니다. 고독이란 세상에 홀로 떨어져 있는 듯한 쓸쓸한 마음입니다. 고독과 가장 어울리는 말은 외로움일 것입니다. 외롭다는 것은 사람들로부터 격리되어 있다는 느낌입니다. 외로움을 느끼면 누군가를 그리워하게 되고, 그립게 되면 만나기를 소망하는 것은 인간의 자연스러운 감정입니다.

외로움과 그리움을 생각할 때 제게 떠오르는 시가 있습니다. 김광섭의 '저녁에'입니다.

저렇게 많은 별 중에서 / 별 하나가 나를 내려다본다 / 이렇게 많은 사람 중에서 / 그 별 하나를 쳐다본다 // 밤이 깊을수록 / 별은 밝음 속에 사라지고 / 나는 어둠 속에 사라진다 // 이렇게 정다운 // 너 하나 나 하나는 / 어디서 무엇이 되어 / 다시 만나랴

참 아름답고 근사한 시입니다. 맑은 날 한밤 중 하늘을 바라보면 별들이 반짝이고 있습니다. 우리가 볼 수 있는 별은 유한하지만 사실은 셀 수 없을 만큼 많은 별들이 있습니다. 어릴 적 밤하늘에 빛나는 별 가운데 하나를 '나만의 별'이라고 생각하면서 행복해했던 기억이 있습니다. 독자 여러분도 비슷한 어린 시절이 있으신지요. 그 별은 말없이 나를 지켜보는 다정한 친구 같기도 했고, 듬직

한 수호천사 같기도 했고, '또 다른 나' 같기도 했습니다. 나는 별을 선택하고, 별도 나를 선택합니다. 그러나 별은 밝음 속에서는 드러날 수 없고, 나는 어둠 속에서는 사라집니다. 우리는 만나고 싶지만 만날 수 없고 그래서 고독하지만, 그러나 다시 만날 희망을 놓지 않습니다.

김광섭의 '저녁에'는 이런 복잡미묘한 우리의 마음을 섬세하고도 서정적으로 노래한 시입니다. 이 시는 후에 대중가요로도 만들어져 많은 이들의 사랑을 받기도 했지요. 미술을 다루는 이 코너에서 서두부터 시에 대한 이야기를 왜 길게 늘어놓는지 의아하실지도 모르겠습니다. 한 화가의 작품을 소개하기 위해 시 얘기가 길어졌습니다.

김광섭의 이 시를 캔버스에 담은 화가는 그의 친구인 수화(樹話) 김환기(1913~1974)입니다. 명실공히 이중섭, 박수근과 함께 광복 이후 우리 현대 회화를 대표해 온 화가이지요. 이중섭이 열정의 화가, 박수근이 한국적인 화가였다면 김환기는 모더니즘 화가라고 불립니다. 일제 강점기에 일본 도쿄에서 회화를 공부한 그는 광복 이후 달, 산, 새, 항아리 등 한국적인 것들을 서양 유화의 방식으로 담아내면서 자신의 이름을 알렸습니다. 서울대와 홍익대에서 가르쳤고, 프랑스 파리와 미국 뉴욕에서 활동하기도 했습니다.

1970년 뉴욕에 살 때 그린 '어디서 무엇이 되어 다시 만나랴'는 가로 172cm, 세로 232cm로 이뤄진 대작으로서, 한국일보사가 주최한 제1회 한국미술대상전에서 대상을 받은 작품입니다. 이 그림은 점화의 방식으로 그려졌는데, 캔버스 가득히 찍힌 청회색의 작은 점들은 밤하늘 떠 있는 수많은 별처럼 느껴집니다. 그림의 제목은 김광섭의 시 '저녁에'의 마지막 구절을 따온 것으로, 김환기는 이와 유사한 연작을 여럿 발표했습니다. 이 대작 앞에 서면 한밤중 하늘을 쳐다보는 듯한 느낌이 듭니다. 하늘 가득히 펼쳐진 별들은 보는 이들을 꿈꾸게 하고, 설레게 하고, 그립게 합니다.

"내가 찍은 점, 저 총총히 빛나는 별만큼이나 했을까. 눈을 감으면 환히 보이는 무지개보다 더 환해지는 우리 강산"

1970년 1월, 김환기가 뉴욕에서 쓴 일기의 한 구절입니다. 이 구절을 읽노라니 김환기가 '어디서 무엇이 되어 다시 만나랴'를 왜 그렸는지, 무엇을 담으려 했는지를 알 수 있습니다. 그것은 두고 온 조국, 두고 온 도시, 두고 온 사람들에 대한 간절한 그리움입니다.

김환기는 전라남도 한 섬에서 태어났습니다. 그는 도쿄, 파리, 뉴욕에서 공부하거나 활동했지만 삶의 본거지는 한국이었습니다. 두고 온 나라를 생각하면서 점을 하나 찍습니다. 그 점에는 그리운 사람이 담겼습니다. 다시 두고 온 나라를 생각하면서 점을 하나 더 찍습니다. 그 점에는 그리운 풍경이 담겼습니다. 그렇게 점들을 캔버스 가득히 채워두었더니 그 점들이 밤하늘로 올라가 빛나는 별이 된 것이지요. 밝고 희미한 별들이 가득 채워진 밤하늘에선 애틋한 추억이 현재가 되고, 그 현재는 언젠가 미래에 다시 만나고 싶다는 그리움이 됩니다.

심리 갤러리

2013년 미국 캘리포니아에서 대학 방문학자로 지낼 때였습니다. 어느 날 밤 동네를 산책하는데 초등학교에 다니는 아들이 제게 밤하늘에 있는 별자리들을 물었습니다. "이쪽에 보이는 별들이 북두칠성이고, 저쪽에 보이는 별들은 오리온자리야"라고 말해주는 순간 예전에 보았던 김환기의 이 작품이 갑자기 떠올랐습니다. 집으로 돌아와 인터넷에서 이 작품을 찾아보면서 저는 그리움에 사로잡혔습니다. 미국에 온 지 1년쯤 되었던 그때 '친정엄마와 친언니가 살고 있는 여기로 이민을 오는 것은 어떨까'하는 생각도 해보고 있었지만 이 그림을 보면서 두고 온 서울이, 서울에 있는 이들과 풍경이 너무도 그리워졌습니다. 내가 살아왔고 살아갈 곳은 태평양 너머 저편에 있는 서울이라는 것을 깨닫게 된 셈이지요.

그의 또 다른 작품인 '피난 열차'(1951)는 이채로운 작품입니다. 현실을 바라보는 김환기의 시선이 담긴 그림입니다. 6·25전쟁의 비극을 담은 이 작품은 단순합니다. 두 개의 레일 위에 사람들을 가득 실은 열차가 달려갑니다. 열차는 마치 콩나물시루 같고, 열차 안의 수많은 얼굴에는 표정이 없습니다. 어떤 이들은 이 작품이 전쟁의 참상을 제대로 고발하지 않았다고 비판했습니다. 그러나 제겐 이 모습들이 매우 인상적이었습니다. 저는 전쟁의 공포 속에서 어디로 실려 가는지 모르는 두려움, 불안, 서러움, 분노 등의 감정을 화가가 도리어 단순하고 정적으로 표현함으로써, 도리어 관람객들로 하여금 다양한 상상을 통해 전쟁과 고향에 대해 느끼게 하려는 의도를 지니지 않았을까 추측해 봅니다.

그 역시 전쟁의 시기 한가운데를 관통한 예술가였습니다. 전쟁이 일어나자 김환기 역시 부산으로 피난을 가서 친구인 화가 이준의 집 다락방에 살면서 이 작품을 그렸다고 합니다. 주황색 대지와 푸른 하늘, 그 사이에 놓인 검은 열차와 표정 없는 수많은 사람. 이 그림은 김환기의 모더니즘이 현실과 만날 때 어떤 모습으로 형상화할 수 있는지를 잘 보여주는 작품입니다. 어떤 이들은 김환기가 현실로부터 한 걸음 떨어진 작품만을 그렸다는 아쉬움을 표명합니다. 김환기의 작품 대다수는 추상 또는 반추상에 기울어 있기 때문이지요. 하지만 전 리얼리즘 화가는 리얼리즘 화풍으로, 모더니즘 화가는 모더니즘 화풍으로 삶과 세계, 마음과 사회의 다양한 모습을 표현하는 것은 예술가라면 누려야 할 당연한 자유라고 생각합니다.

환기미술관 풍경. 외벽에 ′HWANKI MUSIUM이란 노란색 안내가 걸려 있다.

심리 갤러리

북악산과 인왕산 사이에 포근하게 안긴, 서울에선 드문 다소 한갓진 동네인 부암동에 김환기의 삶과 예술을 기리는 환기미술관이 있습니다. 김환기의 아내 김향안 화백이 그를 기리며 만든 미술관입니다. 동네가 주는 조용함과 여유로움도 좋지만, 이 미술관에 가면 거장 김환기의 미술 세계를 만날 수 있다는 매력과 함께 김환기 부부의 애틋했던 러브스토리도 그림으로 확인해 볼 수 있어 즐겁습니다. 화가이자 교수였던 그의 도전정신도 느낄 수 있습니다. 그가 안정된 자리를 박차고 파리로, 뉴욕으로 떠난 것은 예술가로서의 도전정신 때문입니다. 이른바 '본바닥(어떤 일의 중심이 되는 근거지)'에서 자신의 미술 세계를 펼쳐 보이고 싶다는 꿈을 지닌 화가였던 것이지요. 이 글을 읽고 계신 독자님들께도 시간이 되실 때 대한민국 최고가를 경신하고 있는 미술 작품들을 조용하고 한적한 여유 속에서 감상할 수 있는 매력적인 공간인 환기미술관을 꼭 가보시라고 추천드리고 싶습니다.

24. 박수근 : '나무와 두 여인', '우물가'

박수근 창신동 집터 안내판.
박수근의 여러 대표작들이
창작된 곳이다.

 설날이 가까워지면 사람들의 마음이 설렙니다. 설날에는 많은 이들이 고향으로 가기 때문입니다. 고향은 우리가 태어난 장소인 동시에 사랑하는 이들과 어린 시절을 보낸 장소이지요. 그곳엔 소중하고 그리운 사람들과 나눈 추억이 존재합니다. 가족이 있는 고향이란 그리움과 포근함, 그리고 짠하면서도 풍성함을 주는 안식처입니다.

 심리학적 시각에서도 고향은 매우 중요합니다. 고향은 우리 인간에게 원초적 경험을 제공하는 곳이기 때문입니다. 부모의 품 안에서 태어나 보고, 듣고, 만지고, 위로받고, 깨우치고, 배운 원초적 경험들은 우리 심리 조직 속에 내면화해 우리 삶에 지속적이고 강력한 영향을 미치게 됩니다. 평생에 걸쳐 타인과 사물에 대한 가치판단의 준거를 제공하지요.

고향이 꼭 시골이어야만 그리운 것은 아닙니다. 고향은 그 위치가 어디든 누구에게나 애틋하고 그리운 곳이지요. 제 경우가 바로 그러합니다. 제 고향은 강북구 수유동입니다. 머리를 들면 백운대, 인수봉, 만경대가 훤히 보이는 북한산 아랫마을, 주택들이 무질서하게 머리를 맞댄 좁은 골목길, 학교를 파하고 집에 돌아와 친구들과 어울려 한참 놀다 보면 골목 저편에서 저녁 먹으라는 어머니 목소리가 들리던 바로 그곳이 저의 그리운 고향입니다. 지금도 저는 수유리와 비슷한 동네에만 가도 표현하기 어려운 애틋함을 느낍니다.

고향을 그리워하는 것은 그곳의 풍경을 그리워하는 동시에 그곳에서 살아가는 사람들을 그리워하는 것이기도 합니다. 풍경은 사실 배경일 따름이고, 그 배경 속에 놓인 사람들이 그리움의 주인공이지 않을까요. 마음속 고향에서 나를 반겨주는 이들은 부모님이기도 하고, 형제자매들이기도 하며, 현실에서는 연락이 끊겼더라도 추억 속에서는 여전히 제 옆에 있는 그리운 친구들이기도 합니다.

고향에 대한 생각은 우리나라를 포함한 동북아시아에서 더 각별한 것으로 보입니다. 아마도 그 까닭은 동북아 지역이 논농사를 중심으로 한 농촌공동체를 오랫동안 유지해 왔기 때문일 것입니다. 근대화와 함께 농민들은 도시로 이주했지만, 도시의 삶 속에서도 농촌에서의 공동체 생활을 그대로 이어갔습니다.

고향의 풍경과 사람들을 생각할 때 제게 가장 먼저 떠오르는 그림은 박수근(1914~65)의 작품들입니다. 한국적인 것을 화폭에 담은 전통 시대의 대표적인 화가가 정선이라면, 현대 시대의 대표적인 화가는 박수근입니다. 박수근은 지난 20세기 후반 우리의 '국민화가'라 불리기에 손색없는 인물입니다.

박수근은 이례적인 경력의 소유자입니다. 어린 시절 그는 밀레의 '만종'을 보고 화가가 되기로 결심했지만, 전문적인 수업을 거의 받지 못했습니다. 서양 모더니티의 세례를 받지 않고 독학과 습작으로 자기 회화의 세계를 구축한 박수근의 그림에는 참으로 설명하기 어려운 독창적인 매력이 있습니다.

미술과 심리에 대해 관심이 많던 제가 품고 있던 질문 중 하나는 '한국적인 그림이란 무엇인가'였습니다. '화폭에 담는 풍경이 서구가 아니라 우리나라의 모습이면 그것이 한국화일까? 아니면, 먹이나 한지 같은 전통적인 도구들을 사용하면 한국적인 것일까?' 이런 질문에 가장 근접한 정답을 알려준 화가가 박수근이었습니다.

박수근의 그림에는 우리가 가장 사랑하는 사람들의 모습이 보입니다. 나의 어머니, 나의 아이, 나의 형제자매, 친구들이 지금이라도 그림 밖으로 나와 나의 손을 잡고 얼굴을 만질 것만 같습니다. 그의 그림 속 어머니의 등에서 세상 걱정 하나 없이 잠든 아기의 모습은 바로 내 어머니 등에서 행복한 낮잠을 잤던 어린 시절의 나 같습니다. 우리가 가장 사랑하는 이들과 장소를 만날 수 있게 해주는 그림들이 가장 우리적인 회화라고 할 수 있지 않을까요.

박수근은 화폭에 담는 대상인 내용 못지않게 그 대상을 표현하는 방식에서도 한국적인 독창적 방법을 보여줬습니다. 그의 그림들에서 볼 수 있는 화강암 특유의 질감, 곧 마티에르는 한국적 세계를 표현하는 데에 매우 적합한 방식으로 보입니다. 우리나라 어디서나 만날 수 있는 화강암에 선으로 새긴 전통 시대의 불상과 같은, 대상을 간결하면서도 다소 불투명하게 묘사하는 박수근의 독창적인 기법은 제 눈에는 '전통의 새로운 창조'로 보입니다.

지난 20세기에 서양 미술이 도입된 이후 인상주의에서 추상미술에 이르기까지 다양한 양식이 범람했지만, 그의 화폭을 채우는 나목(裸木), 여인, 어린이, 소박한 동네 풍경은 한국인에게는 특별한 감동을 안겨줬습니다. 그의 대표작으로 꼽히는 '나무와 두 여인'(1962)은 박수근의 미술 세계를 생생하게 보여줍니다.

그림 한가운데는 키 큰 고목이 서 있습니다. 나무 아래에는 함지를 인 여인과 아이를 업은 여인이 있습니다. 함지로 상징되는 '노동'과 아이로 상징되는 '육아'는 이 땅의 여성이라면 대부분 감당해야 했던 일들입니다.

이 그림의 가운데 놓인 나목은 쓸쓸해 보이지만 참으로 당당합니다. 박수근은 나목을 즐겨 그렸는데, 그가 그린 나목은 박수근의 젊은 시절을 알고 지낸 소설가 박완서의 첫 소설 '나목'의 제목과 주제가 되기도 했습니다. 저는 그림 속 나무를 보며 '이 나목은 작가 자신을 투영한 것이 아닐까' 하는 생각을 해봤습니다. 비록 지금은 헐벗었지만 봄이 오면 나뭇잎이 풍성해지고 꽃이 향기로워질 나목, 평생 제대로 평가받지 못했지만 화가로서 묵묵히 독자적인 세계를 펼쳐 보인 박수근 자신의 삶을 상징하는 것은 아닐까하는 생각이지요.

무엇을 그릴지는 화가에게 가장 중요한 과제입니다. 화가가 다루는 주제에는 삶과 사회에 대한 화가의 마음과 인식이 집약되어 있는 법이지요. 박수근은 이렇듯 독자적인 방법으로 우리 삶과 자연을 표현했습니다. 박수근의 작품들에 주로 나오는 이들은 여성이나 어린이들입니다. 그가 활동하던 당시에는 여성과 어린이는 사회적 약자를 대표했다고 해도 과언이 아닙니다. 이들을 즐겨 그렸다는 것은 사회적 약자에 대한 박수근의 관심과 애정이 그만큼 컸다는 것을 뜻합니다. 우리 사회에서 여성과 어린이의 권리에 대한 자각, 그리고 그것을 지켜주기 위한 실천이 1980년대 민주화 시대 이후에야 본격화했다는 점에서 박수근의 시각은 선진적입니다.

박수근 작품이 갖는 중요한 의미 중 하나가 바로 이 부분에 있습니다. 박수근의 그림은 정겹지만 동시에 쓸쓸함이 느껴집니다. 그 쓸쓸한 느낌은 그의 소박한 삶과 중첩되면서 이 땅의 사회적 약자들이 가졌을 외로움과 고단함으로 번져갑니다.

하지만 그의 그림이 주는 감동은 외로움과 고단함을 느끼게 하는 데서 끝나지 않습니다. 박수근이 여성과 어린이들을 즐겨 그렸다고 해서 그가 약자들의 고통스러운 처지만을 의도적으로 부각한 것은 아니라고 생각합니다. 여성과 아이들의 일상을 있는 그대로 표현해 의도적인 계몽을 넘어 마음의 공감을 불러일으키는 데에 박수근 작품의 미덕이 있습니다. 또한, 박수근의 그림에는 우리 마음의 온도를 높여주는 위로와 힘이 있습니다.

심리 갤러리

'우물가'(1953)는 박수근의 이러한 특징을 잘 보여주는 또 하나의 작품입니다. 이 그림은 시골의 우물 주변을 묘사하고 있습니다. 초가집 앞에 우물이 있습니다. 우물 주변에는 두 여인과 한 아이가 있고, 빨래가 널려 있습니다. 조금 떨어진 곳에는 닭 두 마리가 놀고 있습니다. 소박하면서도 평화로운, 그러나 가난해 보이는 시골 풍경입니다. 우물가는 여성들이 삶의 고단함을 나누는, 그 고단함을 이야기로 푸는 정겨운 장소이지요.

'우물가'는 한국적 전원 풍경을 담았습니다. 시골에서 산 사람들에게는 익숙한 풍경이며, 그만큼 향수를 자극하는 작품입니다. 박수근은 고향의 모습을, 한국적 풍경을, 그 풍경 속에서 살아가는 한국인들의 선함과 순수함을 이렇듯 간결하게 화폭에 담았습니다. 그의 그림은 우리네 무의식 속 고향에 대한 향수를 불러일으키며, 포근한 어머니 품을 느낄 수 있게 해줍니다. 이런 작품들을 보노라면 박수근이 왜 우리 현대 회화를 대표하는 화가인지를 알 수 있습니다.

물론 박수근의 작품에 담긴 고향의 풍경은 최근 들어 크게 바뀌었습니다. 산업화가 이뤄지고 세계화가 진전되면서 농촌이든 도시든 그 모습이 많이 변화했습니다. 함지를 머리에 인 여인이나 한갓진 우물가를 주변에서 더는 찾아보기 어렵습니다. 박수근의 그림이 표현하는 것은 과거의 시간이지 현재의 시간은 아닙니다. 어쩌면 제 아이가 어른이 됐을 때 박수근의 그림 속 풍경은 참으로 낯설기 그지없는 호랑이 담배 먹던 옛날이야기처럼 느껴질 수도 있겠지요.

박수근 창신동 집터로 가는 길 안내. 지하철 동묘앞역 6번 출구 계단이다.

하지만 박수근의 작품에 담긴 시간이 지나간 과거라 하더라도, 그가 전달하려 한 인간의 선함에 대한 존중, 사회적 약자에 대한 애정, 따뜻한 공동체에 대한 그리움은 시간을 초월한 예술적 감동을 여전히 선사할 것이라고 생각합니다.

박수근의 고향은 강원도 양구입니다. 휴전선이 지나가는 양구는 태백산맥 서쪽에 놓인, 인제와 화천 사이에 놓인 고장입니다. 양구에 가면 박수근미술관이 있다고 합니다. 언젠가 양구 박수근미술관에 가보는 것이 저의 작은 소망 중 하나입니다. 시골에 연고가 없는 서울 토박이인 저는 어릴 적 시골 친척집에 가는 친구들이 너무나 부러웠습니다. 어른이 됐는데도 박수근의 그림 속에 있는 시골에 꼭 가보고 싶은 것을 보니 그의 그림에는 어린 시절로 회귀시키는 마법이 있나 봅니다.

심리 갤러리

25. 박래현 : '이른 아침', '달밤'

성북동 집터에 세워진 운우미술관.
'운우'는 김기창의 호 운보와 박래현의 호 우향의 앞 글자에서 따왔다.

저는 워킹맘입니다. 말 그대로 일하면서 아이를 키우는 엄마이지요. 우리나라 맞벌이 부부의 비율이 44% 정도라고 하니 이제 우리 사회에서 워킹맘은 특별한 사람이 아닙니다. 하지만 저는 워킹맘이라는 단어가 너무 가볍게 인식된다는 생각이 들 때가 있습니다. 왜냐면 워킹맘의 일상은 정말 가벼운 것이 아니기 때문입니다. 워킹맘의 한 예로 저의 최근 하루 일정을 간단히 정리해 보면 다음과 같습니다.

3일 전 전학한 아들을 새 학교에 데려다주는 것으로 하루를 시작한 저는 집 안을 치우고 난 후 연구소 관련 일 처리로 오전 시간을 보내고 점심을 먹었습니다. 식사 후에는 4시쯤 시작되는 방송을 위해 관련 기사를 정리한 다음 방송국으로 떠났습니다. 그런데 마음이 급했는지 방송국 주차장에서 작은 접촉 사고가 났습니다. 생방송을 해야 하는 저는 담당 프로그램 피디(PD)에게 사고 처리를 부탁하고 스튜디오로 들어갔습니다.

생방송이 끝난 후 남자 패널들은 담배를 피우겠다고 밖으로 나갔지만 제게는 급한 2라운드 일상이 남아 있었습니다. 후다닥 주차장으로 뛰어 내려가 찌그러진 차를 확인하고, 보험 회사에 전화를 했습니다. 그리고 연구소 간사가 퇴근하기 전에 전화를 걸어 중요한 몇 가지 일을 처리했습니다.

가장 마음이 쓰이는 일은 아들의 하교였습니다. 꽤 먼 낯선 거리를 지하철과 버스를 갈아타고 혼자 와야 했기 때문입니다. 무사히 집에 도착했는지 전화하니 아들은 강아지가 다쳐서 동물병원에 와 있으니 빨리 오라고 했습니다. 부랴부랴 병원으로 달려가니 2kg도 안 되는 작은 강아지가 오들오들 떨고 있었습니다. 수의사는 강아지 엉덩이뼈가 부러져서 가능한 한 빨리 수술해야 한다고 했습니다. 다시 수술 날짜를 잡겠다고 말하고 아들과 강아지를 데리고 집으로 오는데 찌그러진 차에서는 끽끽 소리가 났습니다.

아들과 강아지를 문 앞에 내려주고 나니 저녁 8시, 아이가 늦은 저녁을 먹는 동안 바쁜 며느리를 대신해 살림을 해주시는 어머니를 위한 약과 내일 필요한 먹거리, 아이의 학용품을 사러 나왔습니다. 그렇게 9시가 넘어서야 귀가해 늦게까지 자지 않고 스마트폰을 들여다보는 사춘기 아들과 씨름하면서 하루를 정리했습니다. 너무 피곤한 나머지 간신히 화장만 지운 채 잠이 들었는데, 꿈속에서도 '이틀 후면 원고 마감인데 어떻게 하지' 걱정했습니다.

이 기획에서 저는 여성 작가를 거의 다루지 못했습니다. 이유는 여성 화가가 남성 화가에 비해 현저히 적은 수였기 때문입니다. 오늘은 특별한 여성 화가를 소개하려고 합니다. 우향(雨鄕) 박래현(朴崍賢·1920~1976)이 그 주인공입니다.

미술을 전공한 이들에게 박래현은 유명한 화가이지만 일반인에게는 익숙한 이름이 아닙니다. 도리어 박래현의 남편이 아주 유명한 화가이지요. 바로 우리나라를 대표하는 동양화가인 운보 김기창입니다.

박래현은 남편 김기창의 그늘 탓에 크게 조명받지 못했다고 이야기하는 사람들이 있습니다. 제가 보기에도 박래현은 과소 평가된 부분이 적지 않습니다. 그의 그림에는 보는 이를 감동시키는 스토리가 있습니다. 박래현은 1943년 조선미술전람회(선전·鮮展)에 여인이 화장하는 모습을 담은 '장(粧)'을 출품해 최고상인 창덕궁상을 받았고, 1956년에는 대한미술협회전과 대한민국미술전람회(국전·國展)에서 모두 대통령상을 받았습니다. 이러한 수상 경력은 그의 작품들이 전문가들로부터 높은 평가를 받았음을 보여줍니다.

또한 박래현은 동양화가지만 전통 동양화의 재현을 넘어서 새로운 시도를 모색한 화가였습니다. 김기창 역시 동양화의 현대화를 모색했지만, 박래현은 김기창보다 더욱 과감한 실험을 추구했습니다. 김기창은 국내에서 그림 공부를 했으나 박래현은 일본으로 유학을 가 동경여자미술학교 일본화과를 졸업한 만큼 당시 서양화의 흐름을 잘 이해하고 있었던 것으로 보입니다.

1956년 대한미술협회전에서 대통령상을 받은 '이른 아침'은 박래현의 이러한 특징이 잘 드러난 작품입니다. 때는 6·25전쟁이 막 끝난 1950년대 중반입니다. 전쟁으로 인해 모든 게 폐허로 바뀐 시절에 그려진 이 작품은 절망을 딛고 새로운 삶과 사회를 열고자 했던 희망을 드러내고 있습니다.

배경에는 집 두 채가 희미하게 그려져 있습니다. 갈색의 여인들이 시장으로 가고 있습니다. 맨 앞 여인은 닭과 게를 들고 있고, 두 번째 여인은 과일 광주리를 이고 있으며, 세 번째 여인 역시 광주리를 인 채 손에는 달걀을 들고 있고, 마지막 여인은 보따리를 이고 있습니다.

이 작품에서 특히 제 시선을 끄는 것은 한 아이는 등에 업고 다른 한 아이의 손을 잡고 가는 두 번째 여인입니다. 아이들 표정이 재밌습니다. 등에 업힌 아이는 세상 모르게 잠들어 있고, 손을 잡은 아이는 억지로 끌려가는 것처럼 보입니다.

이 그림을 처음 봤을 때 저는 조선 후기 풍속화를 떠올렸습니다. 당시 풍속화가들처럼 박래현 역시 자신이 살고 있는 시대의 삶을 생생히 재현해 놓았기 때문입니다. 먹고살기 위해 이른 아침부터 물건을 팔러 시장으로 나가는 사람들은 바로 우리 이웃의 아주머니들이겠지요. 사는 게 고달프더라도 이들이 자신의 삶에 최선을 다하고 있다는 사실을 잘 보여주는 것이 네 여인의 눈빛입니다. 두 여인의 눈빛은 다소 무섭고, 한 여인의 눈빛은 선해 보이고, 아이를 데리고 가는 여인의 눈빛은 다소 지쳐 보이지만 그렇다고 슬픈 눈빛은 아닙니다.

이 작품이 근사하게 보이는 또 한 가지 이유는 전통적인 풍속화의 주제를 다루고 있음에도 피카소의 입체주의 작품을 떠올리게 하는 역동적인 구성에 있습니다. 이러한 구성 덕분에 종이에 그린 수묵채색화임에도 캔버스에 그린 유화만큼 서양화 같은 현대적인 느낌을 안겨줍니다.

'이른 아침'을 발표한 1956년에 박래현은 '노점'으로 국전에서도 대통령상을 받았습니다. 저는 거리에서 물건을 파는 이들을 담고 있는 '노점' 역시 '이른 아침' 못지않게 인상적으로 느꼈습니다. 이 작품 역시 '현실'이라는 소재를 다루고 있습니다. 이것은 그의 그림이 산수 또는 동식물을 포함한 전통적인 동양화의 한계를 극복하려 했음을 보여줍니다.

박래현의 그림이 제게 주는 매력은 특히 두 가지입니다. 하나는 박래현이 동양화의 혁신을 추구했다는 점입니다. 무엇보다 화면 구성에서 정적인 것보다 역동적인 것을 더욱 중시하고, 그 표현 방식에서 전통적인 곡선보다 서구적인 직선을 많이 활용했습니다. 변화하는 시대에 걸맞은 동양화의 새로운 방법을 모색하려는 박래현의 실험정신이 담긴 작품들이 '이른 아침'과 '노점'입니다.

다른 하나는 박래현이 선택한 소재에 관한 것입니다. '이른 아침'에서 제 시선을 끈 것은 두 아이의 어머니입니다. 제가 워킹맘이라 그런지 몰라도 그림을 감상하는 데 아이가 나오는 작품들을 보면 저는 저절로 시선이 고정됩니다. '이른 아침'을 보면, 잠들어 있는 아이와 딴 곳을 바라보는 아이에 대한 묘사가 현실감이 뛰어납니다. 박래현이 화가인 동시에 네 아이의 어머니였기 때문에 이러한 생생한 묘사가 가능했을 것으로 보입니다. '이른 아침'에 나오는 여인들은 분주하게 오늘을 살고 있는 제 등을 토닥여 주는 것만 같습니다.

또 하나의 소개하고 싶은 박래현의 작품은 '달밤'입니다. 하늘엔 두 개의 달이 걸려 있습니다. 하나는 둥근 보름달이고 다른 하나는 얇은 초승달입니다. 그리고 숲속 나무 위에는 부엉이가 앉아 있습니다.

이 작품에서 흥미로운 것은 부엉이와 나무와 숲의 형태가 모호하게 처리돼 있다는 점입니다. 특히 나무와 숲은 추상화와도 비슷합니다. 1950년대 당시 박래현은 동양화의 추상화 작업에 관심을 갖고 있었는데, 이렇게 형태와 색채에서 새로운 혁신을 모색함으로써 동양화의 현대화를 추구했습니다.

'달밤'이 제게 인상적인 것은 그 전체적인 느낌 때문입니다. 이 작품은 사람의 마음을 즐겁게 합니다. 특히 부엉이의 세 눈은 귀엽기도 합니다. "부엉 부엉새가 우는 밤, 부엉 춥다고서 우는 밤"으로 시작되는, 어릴 적 즐겨 부르던 동요를 떠올리게도 합니다. 이 작품이 그려진 1953년의 시점에선 이러한 풍경을 쉽게 찾아볼 수 있었겠지만, 21세기 현재의 시점에선 그리운 옛날, 그리운 자연의 풍경입니다.

6·25전쟁이 일어나자 박래현은 남편 김기창과 함께 고향인 전북 군산으로 피란을 갔습니다. 전쟁의 와중에도 박래현은 화가로서의

고민을 이어 나갔고, 그 고민은 '달밤'과 같은 작품을 낳았습니다.

부엉이는 인내와 지혜를 상징하는 동물로 알려져 있습니다. 모든 것을 앗아가는 전쟁의 참화를 견뎌내고 그 참화 속에서 동양화가로서의 새로운 변화를 모색하려는 굳은 의지와 새로운 지혜가 '달밤'에 담겨 있는 것 같습니다. 그녀의 그림마다 스며있는 부드러운 강인함이 박래현이라는 작가가 주는 가장 큰 미덕이 아닐까요.

성북동 김기창과 박래현
집터 안내판.
부부의 예술 세계를
설명하고 있다.

그런데 이토록 재능이 많은 박래현은 1976년 일찍 세상을 떠났습니다. 그의 나이 쉰여섯, 사망의 원인은 간암으로 알려져 있습니다. 세상을 떠나기 직전까지 조형적 실험을 계속하고 그 결과를 작품으로 선보인 박래현 화가, 그가 조금 더 살아 왕성한 작품 활동을 했더라면 우리 미술의 발전에, 특히 여성 화가들이 활발히 활동하는데 큰 기여를 했을 것이 분명해 더욱 아쉽습니다.

박래현이 남긴 기록들에는 그가 남편, 네 아이와 찍은 사진이 있습니다. 그 바쁜 와중에 어떻게 저런 예쁜 아이를 넷이나 키우고, 청각장애가 있던 남편을 대한민국 최고의 화가가 되도록 내조했을까요? 혼신의 힘을 기울였을 것이 확실합니다.

박래현의 삶은 너무나 치열하고 열정적인 아름다운 것이었을까요, 아니면 깊은 병이 들 수밖에 없을 정도로 무거운 것이었을까요? 저는 전자라고 생각하지만, 후자 역시 쉽게 부정할 수는 없을 듯합니다. 오늘 저녁만큼은 워킹맘인 제게 휴식을 선물하고 싶어집니다.

심리 갤러리

26. 김수자 : '마음의 기하학', '구의 궤적'

마음은 감성과 이성, 느낌과 생각의 총체이면서 참으로 신비한 존재입니다. 마음은 나를 기쁘게도 하고 슬프게도 합니다. 자유롭게 만들기도 하고 근심스럽게 구속하기도 합니다. 마음이 모든 것으로부터 완전히 독립될 수는 없습니다. 마음은 육체로부터, 물질로부터, 가족과 친지 등 주변으로부터 영향을 받을 수밖에 없습니다.

그렇다고 해서 마음의 자율성이 부재하는 것은 아닙니다. 육체가 고통스럽더라도, 물질이 빈곤하더라도, 주변 사람들이 힘들게 하더라도, 마음은 그 고통과 빈곤과 고난을 견뎌낼 수 있습니다. '세상사 모두 마음먹기에 달렸다.'는 말도 있지요. 마음을 어떻게 갖느냐에 따라서 우리 삶은 행복할 수도 있고 불행할 수도 있습니다.

오늘은 마음의 모양을 보고 그 소리를 들을 수 있게 하는 설치미술가 한 사람을 소개하려 합니다. '마음의 기하학' 작가 김수자(1957~)가 그 주인공입니다. '마음의 기하학'이라는 제목부터 범상치 않습니다. 그가 전달하려는 마음은 어떤 마음일까요.

김수자는 우리나라를 대표하는 세계적인 미술가입니다. '보따리 트럭-2727킬로미터'와 '바늘 여인' 등이 대표작으로 알려져 있습니다. '보따리 트럭-2727킬로미터'가 보따리를 싸서 트럭에 실은 채 전국을 돌아다닌 퍼포먼스에 대한 기록이라면, '바늘 여인'은 중국·인도 등의 순례 기록입니다. 세계적으로 화제를 모은 작품이지요. 이 작품을 보면 작가가 화실 안에서 작업한 전통적인 화가가 아니라 삶 속에서 활동한 미술가라는 생각이 듭니다.

국립현대미술관 서울관에 이 전시를 보러 간 기억이 생생합니다. 1층에서 티켓을 끊고 지하로 내려가 전시실을 찾았습니다. 들어가 보니 한가운데에 큰 타원형 탁자가 놓여 있었습니다. 지름 19m인 이 탁자는 거대한 캔버스와도 같았습니다. 안내에 따라 저는 전시실 안쪽 입구 옆에서 찰흙 덩어리를 하나 받았습니다. 그리고 탁자 앞에 앉아 찰흙을 둥근 공 모양으로 빚었습니다. 작가가 관람객에게 요청한 행위였습니다. 그리고 그 둥근 공을 탁자 위에 올려놓고 조심스레 굴렸습니다.

'마음의 기하학'.
관람객들이 찰흙 덩어리를 구형으로 만들어 굴려보는 참여형 작품이다.

심리 갤러리

이 전시실에는 '마음의 기하학' 말고 또 하나의 작품이 있었습니다. 공을 만들어 굴리는 과정에서 참가자들은 작가가 클레이 볼을 굴리는 소리와 입 안을 가글하는 소리를 들을 수 있었습니다. 작가의 사운드 작품인 '구의 궤적'(15분 31초)인데요. 다소 어두운 실내에 울려 퍼지는 소리는 제 마음을 차분하게, 그리고 '지금, 여기에' 집중할 수 있도록 해줬습니다. '마음의 기하학'과 '구의 궤적'은 참여자로 하여금 시각·촉각·청각을 모두 느낄 수 있게 했습니다.

'마음의 기하학'은 관람객이 직접 참여해서 작품을 완성합니다. 작가는 우리가 손으로 찰흙을 떼어내 공을 만들고 굴리는 행위를 통해 무엇을 느끼고 생각하게 하려는 것일까요. 국립현대미술관 측이 제공한 자료에는, '이 작품은 참가자들이 자신의 행위를 통해 물질적 상태에서 비물질적 상태로 변화되고 상반되는 대칭의 힘을 정신적으로 체험할 수 있도록 하게 한다'고 적혀 있습니다.

그동안 저는 설치미술에 대해 큰 호감을 갖고 있지는 않았습니다. 설치미술이 전달하는 메시지가 어려운 경우가 많았기 때문입니다. 직업이 상담사라 그런지 모르지만 어떤 미술이라 하더라도 대중에 대한 배려가 중요하다고 생각해 왔습니다. 많은 이에게 공감을 주지 못하는 작품이라면 걸작이라 하더라도 대중이 성공한 작품이라고 보기 어렵다고 느껴왔습니다. '마음의 기하학'에 담겨 있다는 물질과 비물질에 대한 해석도 처음에는 제겐 다소 심오하고 어려웠습니다. 하지만 작품에 참여해서 작업에 몰두해 나름대로 이 작품을 이해하려고 했습니다. 그리고 이내 이 작품은 대중과 가깝게

호흡하려는 시도라는 생각이 들었습니다.

전시실에 입장하자마자 저는 건네받은 찰흙을 갖고 자리에 앉았습니다. 그리고 작은 크기로 찰흙을 떼어냈습니다. 순간 '이 찰흙이 내게 무엇일까?'하는 질문이 떠올랐습니다. '작품의 제목이 마음의 기하학이니 이 찰흙이 내 마음이 아닐까'하는 생각이 들었습니다. 다시 찰흙을 찬찬히 바라봤습니다.

'그래, 만약에 마음이라는 게 눈에 보이거나 손으로 만져볼 수 있는 것이라면 나도 가끔 내 마음을 떼어내 부드럽고 둥글게 되도록 온갖 정성을 다해 빚고 싶었던 거야'라는 생각이 들었습니다. 이런 생각을 하며 두 손으로 조심스레 찰흙을 공 모양으로 만드니 어느새 내 마음도 부드럽고 둥글게 되는 것처럼 느껴졌습니다.

상담사로서 종종 미술치료를 경험했지만, 이번 관람은 거대한 미술관에서의 예술적 의식이라는 행위가 더해져서인지 미술치료보다 더 묵직하게 느껴지고 깊게 몰두할 수 있었습니다. 바쁘게 사느라 나도 모르게 모났던 내 마음이 고요 속에서 내 손의 위로를 받아 둥근 공이 돼가고 있었습니다. '이렇게 우리의 마음이 곱고 정성되게 빚어진다면 마음속 불안이나 상처도 치유되고 타인에 대한 원망이나 분노도 줄겠네…' 싶었습니다.

작은 공을 만든 다음 탁자 저 안쪽으로 굴리려고 하자 소리가 들렸습니다. 딱딱한 것을 굴리는 소리와 입안을 가글하는 소리였습니다. 생각해 보니 전시실에 처음 들어왔을 때부터 이 소리는 들려왔었습니다. 다만 찰흙을 받고 빚느라 제대로 듣지 못했을 뿐이지요. 무엇인가 구르고 가글하는 소리 속에 내 공이 탁자 안쪽으로 굴러가는 것을 지켜보면서 저는 눈앞에 펼쳐진 타원형 탁자가 마치 우주 같다는 생각이 들었습니다. 전시실을 가득 채운 그 소리는 내 마음의 공이 우주로 굴러가는 소리처럼 느껴졌습니다. 작은 존재의 외침 같기도 했고, 외로운 존재의 절규 같기도 했습니다.

흥미로운 깃은 소리였습니다. 공올 굴린 다음 저는 작가가 왜 가글하는 소리를 '구의 궤적'에 담았는지를 생각해 봤습니다. 가글은 목과 입을 청결하게 하는 행위입니다. 또 목과 입은 말을 처음으로 만드는 곳입니다. 타인에게 의미를 전하는 말은 마음에서 시작하지만 목과 입을 통해 표현됩니다. '구의 궤적'에 가글하는 소리를 넣은 것은, 공으로 빚어진 마음이 세상으로 나가는 통로의 의미를 전달하려는 작가의 시도가 아닐까 싶었습니다.

작가는 왜 이 작품에 '기하학'이란 말을 썼을까요. 기하학이란 공간을 연구하는 수학의 한 분야입니다. 이 작품에서 제 시선을 끈 것은 영어 제목입니다. '마음의 기하학'의 영어 제목은 'Archive of Mind'입니다. 아카이브란 기록을 보관하는 곳을 말합니다. 영어 제목을 우리말로 하면 '마음의 기록 보관소'입니다.

이 글을 쓰기 직전 저는 다시 한번 전시장에 다녀왔습니다. 글로 정리하기 전에 그때의 느낌을 되살리고 싶었기 때문입니다. 티켓을 사서 지하로 내려가 전시실을 찾았습니다. 모든 게 지난번 초가을에 찾았을 때와 같았습니다.

소격동 국립현대미술관
서울관 풍경.
전시회 '마음의 기하학'이
열린 곳이다.

한 가지 다른 점이 있었는데, 더 이상 진흙으로 공을 만들 수
없다는 것이었습니다. 이미 탁자가 공으로 가득 찼기 때문입니
다. 그런데 저는 지난번과 다른 새로운 놀라움을 느꼈습니다.
탁자 위에 수많은 마음이 한가득 놓여 있었습니다. '마음의 기
하학'에는 정말 수많은 마음이 보관돼 있었습니다. 제게 감동적
이었던 것은, 탁자 위에 있는 수많은 마음이 찢겨지거나 뜯겨
진 모습이 아니라 둥글고 고운 모습이었다는 점입니다. 김수자
화백이 원한 것은 결국 사람들의 상한 마음이 치유되는 것이 아니
었을까 하는 생각이 들었습니다.

심리 갤러리

심리 갤러리